Côte-de-Beaupré et île d'Orléans

L'INRS remercie la municipalité régionale de comté de La Côte-de-Beaupré et la municipalité régionale de comté de L'Île-d'Orléans. Leur soutien a permis la réalisation de ce livre.

Marc Vallières

Côte-de-Beaupré et île d'Orléans

PUL

**Presses de
l'Université Laval**

Les Presses de l'Université Laval reçoivent chaque année du Conseil des Arts du Canada et de la Société de développement des entreprises culturelles du Québec une aide financière pour l'ensemble de leur programme de publication.

Nous reconnaissons l'aide financière du gouvernement du Canada par l'entremise de son Programme d'aide au développement de l'industrie de l'édition (PADIÉ) pour nos activités d'édition.

Photos de la couverture :

Le pont et l'île d'Orléans vus de Boischatel en 2010. (Photo Marc Vallières)
Verger de l'île d'Orléans, Sainte-Anne-de-Beaupré et le mont Sainte-Anne en 2010. (Photo Marc Vallières)

Endos :

Manoir Mauvide-Genest en 2008. (Photo Marc Vallières)
Église de Saint-François-de-l'Île-d'Orléans en 2001. (Photo Normand Perron)
Château Bellevue du Domaine du Petit-Cap du Séminaire de Québec en 2010. (Photo Marc Vallières)

Maquette de couverture et mise en pages : Mariette Montambault

ISBN 978-2-7637-9449-5
© Les Presses de l'Université Laval 2011
Tous droits réservés. Imprimé au Canada
Dépôt légal 3ᵉ trimestre 2011

LES PRESSES DE L'UNIVERSITÉ LAVAL
www.pulaval.com

Entre le fleuve et la montagne, le territoire de la Côte-de-Beaupré et de l'île d'Orléans accueille d'abord sur ses prairies et ses plages les chasseurs et les pêcheurs amérindiens et ensuite leurs quelques établissements plus permanents. Peu après l'arrivée des Français à Québec, il devient le premier lieu d'implantation de colons sur des terres agricoles, pour approvisionner en denrées le comptoir de Québec. Bientôt, il reçoit les principaux contingents d'immigrants français qui veulent s'établir en Nouvelle-France pendant la seconde moitié du XVIIe siècle, jusqu'à ce que l'essentiel de ses terroirs soient occupées à la fin de ce siècle. Rapidement saturée, la région perd ses descendants, depuis cette époque, lesquels s'établissent dans les autres régions du Québec, rurales d'abord puis urbaines, lorsque des villes comme Québec peuvent les absorber, surtout au XXe siècle. Les familles-souches de la région essaiment ainsi à travers tout le Québec et même l'Amérique du Nord.

Longtemps confinée dans une agriculture traditionnelle, la région parvient à conserver des richesses patrimoniales inégalées au Québec et représentatives de la vie rurale en Nouvelle-France. Longtemps isolée, l'île d'Orléans en possède tellement qu'elle constitue une environnement patrimonial riche et diversifié, qui réussit à mieux survivre aux assauts de la modernité que la plupart des autres ensembles comparables au Québec. L'histoire de la Côte-de-Beaupré et de l'île d'Orléans est profondément marquée par son passé très ancien, mais aussi par ses transformations au gré des courants qui emportent l'ensemble du Québec rural. Ainsi, l'arrivée d'industries transformant ou utilisant le bois et les produits agricoles, de même que la mise en valeur des ressources minérales contribuent à diversifier son économie, tout comme les activités d'un pèlerinage exceptionnel viennent affronter la quiétude rurale de la région. Par ailleurs, les ressources des montagnes, des rivières et des forêts s'ajoutent à ses vestiges patrimoniaux pour développer les ressources accessibles aux visiteurs et aux touristes. De plus en plus, l'industrie touristique mise sur ces ressources et prend de l'importance dans l'économie de la région.

Cette histoire en bref tire son origine de la synthèse en trois tomes intitulée *Histoire de Québec et de sa région*, publiée en 2008, où l'auteur a puisé l'essentiel des informations dans ses propres textes, dans ceux de ses collègues auteurs et auteures (Yvon Desloges, Fernand Harvey, Andrée Héroux, Réginald Auger, Sophie-Laurence Lamontagne et d'André Charbonneau) et dans les dossiers de la recherche qui ont permis sa réalisation. Elle prend une forme très épurée, sans l'appareil scientifique de référence et sans tableaux ou graphiques élaborés, que le lecteur pourra trouver dans l'*Histoire de Québec et de sa région*. En effet, la synthèse contient des références abondantes pour s'orienter vers les ressources documentaires à la source des analyses et des interprétations de cette histoire en bref. Elle renferme des tableaux, des cartes et des graphiques très complets qui fournissent des informations précises sur les différents aspects de l'histoire de Québec et de sa région. Elle couvre un territoire qui inclut une portion rurale de la région dans Portneuf, la Côte-de-Beaupré, l'île d'Orléans et le nord de Québec (la vallée de la Jacques-Cartier), alors que cette histoire en bref se concentre sur le territoire rural de la Côte-de-Beaupré et de l'île d'Orléans. Elle inclut essentiellement le territoire des MRC de la Côte-de-Beaupré et de L'Île-d'Orléans, en plus de Sainte-Brigitte-de-Laval qui faisait partie du comté de Montmorency avant de choisir de s'associer à la MRC de La Jacques-Cartier, au début des années 1980.

Au terme de cette histoire en bref et même dans la synthèse qui l'a précédée, tout n'aura pas été dit sur les activités, les personnes et les institutions qui ont marqué l'histoire de la région. Des questions importantes sont à peine effleurées, des personnages simplement mentionnés, des entreprises, des administrations et des institutions insuffisamment mises en valeur pour correspondre à l'ampleur de leur contribution. Pourtant, le lecteur y trouvera présentée une histoire qui se veut accessible à tous et à toutes, tant dans sa langue que dans son contenu.

CARTE 1
La Côte-de-Beaupré et l'île d'Orléans en 2011

ORGANISATION TERRITORIALE

— Limite de la région historique de Québec
--- Limite de municipalité régionale
de comté (MRC)
— Limite de l'agglomération de Québec
— Limite de municipalité

0   10 km

Source : *Région 03 : Capitale-Nationale. Les MRC et municipalités locales exerçant certaines compétences de MRC. Québec, Affaires municipales, Régions et Occupation du territoire, 28 février 2011.* http://www.mamrot.gouv.qc.ca/pub/organisation_municipale/cartotheque/ Region_03.pdf.

Réalisation Andrée Héroux

1

Sur les rives du Saint-Laurent : une île et une côte

Lorsque les explorateurs français, tant Jacques Cartier (1535 et 1541) que Champlain (1608), arrivent au rétrécissement du fleuve à l'approche de ce qui deviendra Québec, ils peuvent observer la pointe d'une grande île (un moment désignée « île de Bacchus ») et, sur la rive nord, des prairies qui s'intercalent entre les hautes montagnes du cap Tourmente et la côte. L'île se prolonge vers le sud sur 34 km et les prairies de la rive nord s'élargissent quelque peu au pied du mont Sainte-Anne et des plateaux et montagnes qui s'éloignent doucement de la côte jusqu'à la chute Montmorency. En quittant la pointe sud de l'île, les navires arrivent dans la rade de Québec et de la rivière Saint-Charles où ils doivent interrompre leur traversée océanique. Cette région se compose essentiellement de deux côtes sur les façades sud-est et nord-ouest de l'île d'Orléans et d'une troisième sur la rive nord avec un prolongement montagneux vers

le nord-ouest. La rencontre des côtes et des montagnes marque la morphologie fondamentale de la Côte-de-Beaupré et de l'île d'Orléans et dicte les conditions de leur occupation et de leur développement.

La configuration particulière de ce territoire découle de sa position dans les transformations géologiques qui ont façonné le sud du Québec. La région se trouve en effet au confluent de trois structures géologiques, soit à la pointe du vaste triangle des Basses-Terres du Saint-Laurent qui vient s'éteindre au pied du cap Tourmente, faisant partie au nord du Bouclier canadien qui s'approche des rivages du fleuve Saint-Laurent à partir de la chute Montmorency, rejoint au sud par l'île d'Orléans rattachée aux Appalaches comme le promontoire de Québec. Au contact avec le Bouclier canadien, vieux de plus d'un milliard d'années, une série de failles marquent la transition avec les Basses-Terres (remontant à 500 millions d'années) sur lesquelles elles reposent, tout comme la ligne de Logan constitue la limite, sur la rive nord de l'île d'Orléans, avec l'orogénèse des Appalaches complétée il y a 300 millions d'années (carte 2, p. 14).

Une île, un fleuve, une côte et la montagne : le cap Tourmente vu de l'île d'Orléans
(Photo Marc Vallières)

Tout ce territoire a subi probablement une vingtaine de glaciations dans les deux derniers millions d'années, dont la plus récente accumule jusqu'à quelque 3 000 mètres de glace sur la région, 20 000 ans avant aujourd'hui. Il y a 12 000 ans, la glace s'était progressivement retirée au point de permettre l'envahissement des eaux salées de l'océan Atlantique et, deux millénaires plus tard, des parties inondées de la région émergent, dont les hauteurs de l'île d'Orléans (élévation actuelle d'environ 150 m). Le niveau de la mer continue à baisser et, il y a environ 5 000 ans, les rivages de la côte de Beaupré et de l'île d'Orléans atteignent leur élévation actuelle.

Les glaciations ont laissé des traces dans la région en rabotant les montagnes du Bouclier canadien et en façonnant les vallées des rivières principales qui se jettent sur la Côte-de-Beaupré. À la limite sud-ouest, la Montmorency traverse la région du nord au sud en côtoyant deux des plus hauts sommets de la région, les monts de la Québécoise (1 120 m) et Belle Fontaine (1 151 m), alors qu'au nord-est la rivière Sainte-Anne fait de même avec le mont Raoul-Blanchard (1 181 m), le mont Sainte-Anne (800 m) et le cap Tourmente (600 m). Si ces rivières sont encavées profondément dans les Laurentides, elles s'écoulent cependant plus abruptement au contact des Basses-Terres : c'est le cas des chutes Montmorency (83 m), Sainte-Anne (74 m) et Jean-Larose (68 m). Des couches calcaires litées horizontalement s'appuient alors sur les roches précambriennes plus résistantes, provoquant ces cascades et facilitant la formation par infiltration de cavernes ou de tunnels où s'engouffre parfois une rivière comme la Ferrée à Boischatel sur 800 mètres. Les mêmes couches se prêtent à une exploitation commerciale pour la construction, notamment à Château-Richer.

Les alluvions laissées par les glaciers, la mer de Champlain et le Saint-Laurent s'accumulent sur les formations des Basses-Terres et des Appalaches, recouvrent l'île d'Orléans et la côte de Beaupré et se prêtent à une agriculture particulièrement productive. L'agriculture est favorisée également par des conditions climatiques locales plus clémentes qu'ailleurs à la même latitude au Québec avec une saison de végétation de quelque

CARTE 2
Milieu physique et géologie de la Côte-de-Beaupré et de l'île d'Orléans

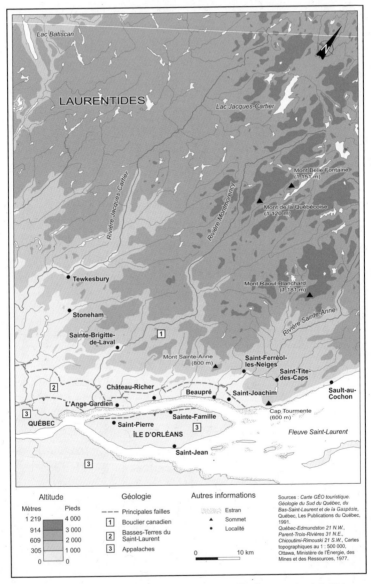

Réalisation Andrée Héroux

200 jours voisine de celle de la région montréalaise. Toute l'île d'Orléans (14 000 hectares ou 80 % de ses sols) en bénéficie, mais la Côte-de-Beaupré ne peut compter que sur un bande étroite, en l'absence des vastes terrasses observées plus au sud dans Portneuf par exemple, grâce à l'éloignement vers le nord du Bouclier canadien. De larges battures dégagées quotidiennement par les marées marquent également les rivages du bras nord entre l'île d'Orléans et la Côte-de-Beaupré, rendant possible la traversée hivernale sur les glaces, mais aussi des empiètements sur un milieu naturel propice à la faune et à la flore.

Ainsi favorisées par de belles terres accessibles sur les rives d'un grand fleuve, la Côte-de-Beaupré et l'île d'Orléans attirent tôt les premiers occupants, alors que leurs montagnes, leurs rivières et leurs chutes serviront de lieux d'activités sportives et naturelles. Leur proximité avec la capitale de la Nouvelle-France et du Québec marque aussi profondément leur développement, leur fournissant un marché, des visiteurs et des résidents.

2

La présence amérindienne

Lorsque les terres de la région émergent des glaces, il y a quelque 9 500 ans, puis des eaux marines, 5 000 ans plus tard, des groupes paléo-indiens commencent à fréquenter de plus en plus souvent, en migrations saisonnières, les rivages de la Côte de Beaupré et de l'île d'Orléans. On dispose de très peu d'indices remontant à cette époque. L'archéologue Jean-Yves Pintal a fouillé récemment un site de Saint-Tite-des-Caps à l'anse de la Montée du Lac, sur les rives du fleuve qui remonterait à l'époque paléo-indienne (environ 9 000 ans avant aujourd'hui ou A.A.) et démontrerait qu'ils consommaient du caribou. C'est plutôt à la période archaïque (7 000 à 3 000 A.A.) que quelques sites révèlent aussi des activités de chasse au gros gibier, qui s'étendent également à la pêche au filet ou à la fascine et à la cueillette des noix. Les sites repérés dans la région indiquent un environnement forestier assez développé rendant accessibles des ressources animales comme le chevreuil, l'orignal, le castor, le rat musqué et l'ours noir. Phoques, baleines et poissons continuent à être exploités à partir des rives du fleuve. Ainsi, Pintal a constaté sur un autre site de l'anse de la Montée du Lac (5 000 à 4 000 A.A.) la présence d'os de phoque et d'un appareillage de pêche.

Les visites de groupes amérindiens se multiplient et se prolongent jusqu'à devenir de plus en plus permanentes, depuis le sylvicole inférieur (3 000 à 2 400 A.A.) jusqu'au sylvicole moyen (2 400 à 1 400 A.A.) et au sylvicole supérieur (1 400 A.A. à 500 A.A.). Avec une sédentarisation accrue de groupes iroquoiens dans la région de Québec, plusieurs sites archéologiques de la Côte-de-Beaupré et de l'île d'Orléans fournissent des témoignages de leur présence et de leurs activités. Ainsi, le site CgEq-14 du cap Tourmente du début du sylvicole moyen se rattache à des groupes amérindiens d'origine mal connue et encore nomades, familiers avec la poterie et l'entreposage de nourriture. Leurs séjours sur le site paraissent de courte durée,

Partie de Cap-Tourmente et de Saint-Joachim où ont été découverts de nombreux sites archéologiques iroquoiens, vue du cap Tourmente en 2005 (Photo Normand Perron)

étant donné l'absence de traces d'habitation et de foyer pour la cuisson des aliments. À la même époque, un site comparable a été trouvé à la pointe Argentenay où des plages favorisent une fréquentation possiblement des mêmes groupes. De nouvelles fouilles pourraient éclairer leurs activités de pêche.

Au sylvicole supérieur, une sédentarisation estivale accrue à proximité des meilleurs lieux de pêche favorise les premières manifestations d'une agriculture parmi la population iroquoienne. Jacques Guimont a trouvé à Petit-Cap des grains de maïs remontant à entre 1 000 et 700 A.A. et indiquant des activités horticoles possibles. Toutefois, les conditions climatiques de la région de Québec ne se prêtent pas à l'établissement hâtif de maisons longues et de villages et c'est seulement peu avant l'arrivée de Jacques Cartier que le village de Stadaconé aurait été installé, sans que l'on puisse le confirmer faute d'avoir trouvé son emplacement exact et des vestiges à analyser. La présence d'autres villages antérieurs ou ailleurs dans la région n'est pas encore démontrée non plus. L'anthropologue Claude Chapdelaine a recherché des traces des villages entre le cap Tourmente et Stadaconé mentionnés par Jacques Cartier en 1535 et n'a trouvé que des vestiges de maisons longues à proximité de Petit-Cap (site Royarnois, CgEq-19). Il s'agit probablement, selon Chapdeleine, du village d'Ajoaste identifié par Cartier et qui aurait pu compter une population de 200 personnes. Le secteur se prêtait le mieux à ces installations saisonnières en raison des basses-terres où les Iroquoiens pouvaient pratiquer de l'horticulture en plus de la chasse et la pêche.

Étant donné le rayonnement économique des Stadaconiens dans l'estuaire du Saint-Laurent et même dans le golfe, il est fort probable que la transhumance iroquoienne sur la Côte-de-Beaupré et à l'île d'Orléans, ailleurs qu'au site Royarnois, se relie à leurs activités de pêche ou de chasse en saison et conserve un caractère occasionnel. Quand se termine cette fréquentation iroquoienne, notamment dans le contexte de leur disparition de la région entre 1543 et 1608 ? Y a-t-il une présence d'autres groupes amérindiens avant le retour des Européens en 1608 ? Seules de nouvelles fouilles pourraient le déterminer.

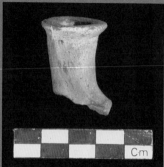

Ce n'est pas la fin de toute présence amérindienne dans la région. En effet, des réfugiés hurons (Wendats) survivants de la destruction de la Huronie par les Iroquois en 1649-1650 arrivent en deux vagues de 300 personnes dans la région de Québec, en 1650, avec des pères jésuites. Ces derniers leur aménagent une mission fortifiée à l'île d'Orléans sur un lot de 6 arpents sur 10 dans l'arrière-fief Beaulieu (Sainte-Pétronille). Déjà très sédentarisés dans leur milieu d'origine, ils y cultivent la terre. Le groupe de réfugiés laissés sans défense par les Français subit, par la suite, les tentatives de prise en charge par des Mohawks, des Onontagués ou des Onneiouts. Frustrés du refus des Hurons, les Mohawks attaquent la bourgade en mai 1656 et amènent 70 prisonniers. La même année et l'année suivante, une entente entre les Français et des Iroquois permet à un groupe de 400 Hurons de quitter la région pour s'établir parmi les Iroquois en compagnie de missionnaires jésuites. Plusieurs d'entre eux périront en route ou à leur arrivée. C'en était fait de la mission de l'île d'Orléans : le petit groupe de Hurons restant se retrouve à Québec et à Sillery.

À gauche, portion de vase décorée d'empreintes au roseau sur un motif géométrique fait d'incisions, site iroquoien de Royarnois (cap Tourmente) entre 1450 à 1550
À droite, pipe non décorée du type fourneau en forme de trompette, site iroquoien de Royarnois (cap Tourmente) entre 1450 à 1550
(Photos Claude Chapdelaine)

3

À l'ombre de l'Église, des familles-souches s'installent, 1630-1759

Après le départ des Iroquoiens, probablement dans la seconde moitié du XVIe siècle, la Côte-de-Beaupré et l'île d'Orléans n'accueillent pas de résidents permanents avant que les colons français du comptoir de traite de Québec, fondé en 1608 par Champlain, ou des immigrants arrivés de France n'aient besoin d'espaces agricoles. L'octroi en 1624 du fief du Cap-Tourmente, qui inclut également l'île d'Orléans, à Guillaume de Caen, dont la compagnie détient le monopole des fourrures en Nouvelle-France, annonce le début d'une occupation du territoire. Déjà en 1623, Champlain avait fait couper du foin sur les prairies naturelles du site du cap Tourmente pour alimenter les animaux vivant autour de l'Habitation de Québec. Devant la difficulté de transporter tout ce foin à Québec, il fait construire sur le site à partir de 1626, avec l'accord de Guillaume de Caen, une ferme d'élevage où habitent un peu moins d'une dizaine de personnes.

Détruite par les Kirke en 1628 afin de couper les approvisionnements alimentaires de Québec, la ferme du cap Tourmente ne sera pas reconstruite au retour des Français et le site reste inoccupé jusqu'en 1664.

Après ce premier effort d'occupation du territoire de la Côte-de-Beaupré et à l'île d'Orléans, les premières concessions en fiefs et seigneuries du milieu des années 1630 annoncent le début véritable d'une implantation d'agriculteurs français. Sous la menace des incursions iroquoises, les débuts sont difficiles, mais la croissance des établissements s'accélère avec la pacification du territoire, de sorte que la population connaît une croissance rapide pendant tout le XVIIe siècle à mesure que les terres sont occupées et que les familles s'agrandissent. Dans la première moitié du XVIIIe siècle, la région se dirige vers un plafonnement de sa croissance sur l'île d'Orléans à environ 2 300 habitants (peut-être jusqu'à 2 700 selon des démographes) et un simple ralentissement sur la Côte-de-Beaupré grâce à l'expansion vers l'est à Sainte-Anne, Saint-Joachim et Saint-Ferréol (tableau 3.1).

Tableau 3.1

**Population de la Côte-de-Beaupré et de l'île d'Orléans
par paroisses à des recensements choisis, 1667-1765**

	1667	1681	1695	1718	1739	1765
Côte-de-Beaupré	672	678	983	1 330	1 490	1 762
L'Ange-Gardien	199	215	251	416		418
Château-Richer	278	242	315	403		495
Sainte-Anne-de-Beaupré	158	187	236	247		362
Saint-Joachim	37	34	181	264		362
Saint-Ferréol						125
Île d'Orléans	426	1 080	1 489	1 841	2 318	2 303
Saint-Pierre		166	791	389		471
Sainte-Famille		370		346		457
Saint-François		157		252		378
Saint-Jean		168	698	441		524
Saint-Laurent		219		413		473
Côte-de-Beaupré et île d'Orléans	1 098	1 758	2 472	3 171	3 808	4 065

Sources : recensements des années concernées.

Située sur de belles terres à proximité de Québec, la région développe une vocation essentiellement agricole qui soutient sa population et lui permet de contribuer à l'alimentation de la capitale de Nouvelle-France.

Les premières seigneuries

C'est sous la responsabilité de la Compagnie des Cent-Associés ou Compagnie de la Nouvelle-France, créée en 1627, que débute la concession de seigneuries en Nouvelle-France. Après la seigneurie de Beauport en 1634, la compagnie se tourne vers la Côte-de-Beaupré et l'île d'Orléans en 1636 et un groupe de ses actionnaires en obtient la concession. Les huit associés forment la Compagnie de Beaupré et se lancent dans la colonisation de la seigneurie. Plusieurs habitants obtiennent des concessions verbales ou notariées à Paris et occupent déjà de nombreuses terres avant que les concessions se retrouvent dans les archives notariales locales au milieu des années 1640. La carte de Jean Bourdon de 1641 (voir figure 3.1) en localise plus

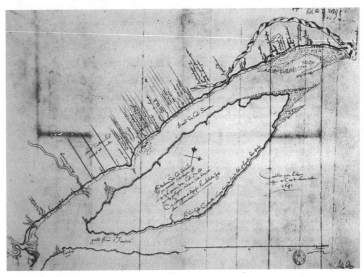

Les terres de la Côte-de-Beaupré. Carte de Jean Bourdon, 1641
(Bibliothèque nationale de France, Département des cartes et plans,
Ge.D. 8070)

d'une quinzaine sur la Côte-de-Beaupré. Dans la décennie 1650-1660, la Compagnie concède en arrière-fief plusieurs blocs de terres de sa seigneurie, tant sur la Côte-de-Beaupré que sur l'île d'Orléans, en plus des lots individuels à des agriculteurs, dans un contexte où des incursions iroquoises parfois meurtrières créent une insécurité grandissante. Avec la paix de 1667 à la suite de l'intervention du régiment de Carignan-Salières, la situation se calme et les habitants de la région peuvent prospérer et de nouveaux arrivants s'y installer.

Tableau 3.2

Seigneuries de la Côte-de-Beaupré et de l'île d'Orléans, principaux concessionnaires, 1636-1760

Seigneuries et arrière-fiefs	Année de conces-sion	Premiers concession-naires	Concessionnaires principaux sous le Régime français
Cap-Tourmente	[1624]	Guillaume de Caen	Remplacée par la suivante
Côte-de-Beaupré	1636	Compagnie de Beaupré	Mgr de Laval (de 1662-1668 à 1680) ; Séminaire de Québec (1680+)
Île d'Orléans (ou comté de Saint-Laurent)	1636/1675	Compagnie de Beaupré	Mgr de Laval (de 1662-1668 à 1675) ; François Berthelot (1675-1712) ; Guillaume Gaillard (1712-1748) ; Partie sud-ouest : Joseph-Ambroise Gaillard (1748-1752) Partie nord-est : héritiers de Jean-Baptiste Gaillard (1748-1764) ; Partie sud-ouest : Jean Mauvide (1752-1779) ; Partie nord-est : James Murray (1764-)
Île du Ruau	*1638*	*Jésuites*	*J.-B. Lecompte Dupré*
Île Madame	1672	Romain Becquet	Pierre Ginchereau (...-1711) Louis Lévrard et Catherine Becquet (1711-1713) Thierry Hazeur (1713-1753) Jean Mauvide (1753-1779)

En italique : création de fief de dignité.

Au fil des ans, les huit associés de la Compagnie de Beaupré vendent ou transmettent leur part, de sorte que leurs possesseurs peuvent devenir intéressés à s'en départir. Mgr de Laval, vicaire apostolique de Québec de 1658 à 1674, se lance dans l'organisation de l'Église canadienne et fonde notamment le Séminaire de Québec en 1663 et le petit séminaire en 1668. Pour financer le Séminaire et les cures qu'il veut créer et lui rattacher, il lui faut des propriétés foncières rapportant des revenus réguliers et il décide de solliciter les sociétaires de la Compagnie de Beaupré, les uns après les autres, dans le but d'acheter leurs parts. De 1662 à 1668, il parvient à titre personnel à acquérir le tout, grâce aux bons offices et aux ressources financières du marchand Charles Aubert de La Chesnaye, également procureur de la Compagnie de Beaupré, mais cela ne rapporte pas encore suffisamment d'argent pour réaliser rapidement ses projets. Mgr de Laval conclut en 1675 un échange avec François Berthelot, secrétaire du roi, désireux d'obtenir un domaine auquel est rattaché un titre de noblesse, par lequel il lui cède l'île d'Orléans contre l'île Jésus et surtout 25 000 livres. Cinq ans plus tard, Mgr de Laval cède tous ses biens au Séminaire de Québec, incluant la seigneurie de la Côte-de-Beaupré, s'étendant de la rivière Montmorency à la rivière du Gouffre, une superficie de quelque 2 000 km². La seigneurie restera par la suite dans le patrimoine du Séminaire jusqu'à l'abolition du régime seigneurial en 1854.

François Berthelot, comte de Saint-Laurent et seigneur de l'île d'Orléans, ne vient pas en Nouvelle-France et conserve tout

Mgr **François de Laval**
(Bibliothèque et Archives nationales du Québec,
Centre d'archives de Québec)

de même la seigneurie jusqu'en 1702, alors qu'il la vend à Charlotte-Françoise Juchereau de Saint-Denis, veuve de François Viennay-Pachot, qui acquiert ainsi le titre de comtesse. Toutefois, la transaction échoue devant les tribunaux faute de paiement complet du prix de vente et Berthelot reprend possession de la seigneurie en 1706. Il la vend au marchand Guillaume Gaillard en 1712 et, en 1748, elle est partagée en deux parts : la moitié sud-ouest à Joseph-Ambroise Gaillard et la moitié nord-est aux trois enfants mineurs de Jean-Baptiste Gaillard. L'administration courante des deux moitiés est alors confiée, à compter de 1750, au chirurgien et marchand Jean Mauvide, établi à Saint-Jean depuis 1721. Ce dernier dispose de ressources suffisantes pour négocier l'acquisition de la partie sud-ouest du chanoine Ambroise Gaillard et accède ainsi à un statut social accru dans une île dont il connaissait tous les recoins, comme premier seigneur résident de l'île. À la Conquête (1764), la

Manoir Mauvide-Genest à Saint-Jean-de-l'Île-d'Orléans,
dans les années 1930. Sa construction remonte aux années 1730
(Musée des sciences et de la technologie du Canada,
coll. Canadien national, n° X20819)

partie nord-est de l'île est vendue par les héritiers Gaillard à James Murray, qui acquiert à cette époque un vaste patrimoine foncier libéré par les départs des élites seigneuriales françaises, incluant de nombreuses seigneuries (Lauzon, Rivière-du-Loup, Madawaska, de Foucault et bien d'autres). Jean Mauvide réussit toutefois à conserver la sienne.

Cet espace seigneurial concédé à la Compagnie de Beaupré fait l'objet de concessions de taille normale en censives à des habitants, mais aussi en arrière-fiefs de plus grande taille à des membres des élites de Québec. C'est le cas sur l'île d'Orléans des arrière [ci-après*] et arrière-arrière [ci-après #] fiefs de Beaulieu* (1649) et Champigny#, Argentenay* (1652), Lirec* (1652), La Chevalerie# (1661), La Grossardière# (1661), Saint-Laurent (1653), Mesnu* (1661) et Poirier# (1662). Il en est de même sur la Côte-de-Beaupré avec Lotinville* (1652), De Repentigny ou Legardeur* (1662) et La Chesnaye# (1667), La Chesnaye* (1668) et Charlesville* (1677). Les détenteurs de ces arrière-fiefs peuvent y concéder des terres à des habitants et y conserver un domaine tout en continuant de relever de la seigneurie où ils se trouvent et qu'ils auront réintégré progressivement. Ce contexte seigneurial marque profondément l'occupation du territoire de la Côte-de-Beaupré et de l'île d'Orléans.

L'occupation des terres

Le cadre seigneurial servait essentiellement à l'établissement de la population. Les terres de la Côte-de-Beaupré et de l'île d'Orléans pouvaient par leur situation à proximité de Québec, par leur fertilité et parfois leur dégagement en prairies, accueillir une bonne partie des nouveaux arrivants. La Compagnie de Beaupré et les détenteurs d'arrière-fiefs entreprennent de concéder officiellement des terres, à la fin des années 1640 et ensuite tout au long des décennies 1650 et 1660, à des immigrants fraîchement arrivés ou à des résidents déjà établis. Plusieurs de ces concessions viennent confirmer une occupation déjà antérieure, visible sur la carte de Bourdon de 1641, comme c'est le cas pour une quinzaine de lots situés surtout à Château-Richer. Ces occupants et plusieurs nouveaux venus y obtiennent leur titre de concession pour la plupart en 1650 et 1652, un peu plus tard au tournant des années 1660 pour la partie ouest de Château-Richer (les terres des Legardeur). À L'Ange-Gardien, une première vague de concessions de 6 à 12 arpents de large remonte à 1654, mais celles-ci sont fractionnées de 1656 à 1667 en lots de 2 à 4 arpents de front. L'occupation s'étend également vers l'est à Sainte-Anne-de-Beaupré et à Saint-Joachim, où elle se développe plus tardivement, surtout au début du XVIIIe siècle.

Sur l'île d'Orléans, elle débute lentement tant que la Côte-de-Beaupré peut recevoir de nouveau arrivants dans les années 1650 et au tournant des années 1660. La fin des incursions iroquoises et la paix qui découle des interventions du régiment de Carignan-Salières permettent un véritable démarrage dans la première moitié des années 1660. Mis à part la concession à René Maheu de 1651 comportant 15 arpents sur toute la largeur de l'île, il faut attendre le milieu des années 1650 avant que les concessions se multiplient, d'abord à Sainte-Famille. Au début des années 1660, elles s'y poursuivent et se répandent également à Saint-Pierre et, dans une moindre mesure, à Saint-François, couvrant ainsi progressivement la face nord de l'île. À compter de 1662 et en plus grand nombre dans les années 1670 et 1680, elles s'étendent sur le côté sud de l'île à Saint-Laurent, à Saint-Jean et à Saint-François. Le tour de l'île était à peu près complété.

À la fin de l'opération, la plupart des terres de l'île et de la Côte-de-Beaupré sont occupées par des familles, grâce en grande partie à l'arrivée des filles du roi entre 1663 et 1673 qui viennent permettre au surplus de la population masculine de les constituer. Au recensement de 1667, il s'en trouve quelque 105 sur la Côte-de-Beaupré et 89 sur l'île d'Orléans. Au recensement de 1681, il en reste une centaine sur la Côte-de-Beaupré, alors qu'elles augmentent à 175 sur l'île d'Orléans. La population stagne entre les deux recensements sur la Côte-de-Beaupré à environ 675, alors qu'elle double sur l'île d'Orléans, passant de 426 à 1 080 (voir tableau 3.1). Au recensement de 1695, les populations atteignent 983 et 1 489 et les familles, 160 et 260. Au XVIIIe siècle jusqu'à la Conquête, la croissance de la population ralentit et, sur la Côte-de-Beaupré, elle se concentre à Sainte-Anne-de-Beaupré, à Saint-Joachim et à Saint-Ferréol, alors que, sur l'île d'Orléans, elle se répartit dans toutes les localités. La région s'approche d'une saturation au XVIIIe siècle : en 1765, il y a 311 familles et 1 762 habitants sur la Côte-de-Beaupré et 411 familles et 2 030 habitants sur l'île d'Orléans.

Les paroisses

L'institution seigneuriale ne suffit pas à répondre aux besoins d'encadrement des populations récemment établies sur des terres. Dans le contexte du partenariat entre l'administration coloniale et l'Église de la Nouvelle-France, l'organisation paroissiale devient une préoccupation des autorités religieuses et de Mgr de Laval. La création du Séminaire de Québec, en 1663, et

L'entrée de la rivière de Saint-Laurent et la ville de Québec dans le Canada, vers 1680 (Bibliothèque nationale de France, Paris, GE SH 18 PF 127 DIV 6 P 1D. IFN-8008855-nb)

l'érection de la paroisse Notre-Dame-de-Québec, en 1664, amorcent la mise en place des institutions fournissant un encadrement religieux, moral et social aux populations locales. Plus l'éloignement de Québec est grand et plus la population s'accroît, plus la nécessité d'offrir les services religieux se fait pressante, mais les ressources manquent. La prise de contrôle par Mgr de Laval de la Compagnie de Beaupré visait justement à lui en fournir et à lui permettre de solidifier la présence déjà affirmée par une chapelle à Château-Richer (1636) et à Sainte-Anne (1658) et l'ouverture de registres dans les principaux noyaux de peuplement. La plupart obtiennent progressivement un prêtre résident ou une desserte régulière.

Tableau 3.3

Paroisses de la Côte-de-Beaupré et de l'île d'Orléans
sous le Régime français

Paroisses	Première chapelle	Ouverture des registres	Érection canonique
Côte-de-Beaupré			
La Visitation-de-Notre-Dame-de-Château-Richer	1636	1661	1678
Sainte-Anne-du-Petit-Cap (de-Beaupré)	1658	1657	1684
Saints-Anges-Gardiens (L'Ange-Gardien)	1667	1670	1684
Saint-Joachim	1684	1684	1721
Île d'Orléans			
Sainte-Famille	1669	1666	1684
Saint-François-de-Sales	1679	1679	1714
Saint-Jean-Baptiste	1672 ?	1679	1714
Saint-Laurent	1684	1679	1714
Saint-Pierre-et-Saint-Paul	1679	1679	1714

Source : Marc Vallières et autres, *Histoire de Québec et de sa région*, Québec, PUL, 2008, p. 655.

L'érection canonique marque la confirmation qu'il existe une population locale suffisante et des ressources financières et humaines (un curé) pouvant permettre l'émancipation des services de la paroisse mère (Québec au départ). En vertu d'un plan établi par Mgr de Laval en 1678, elle se produit à Château-Richer, L'Ange-Gardien et Sainte-Anne-du-Petit-Cap en 1678 et est reconduite en 1684, tout comme elle est octroyée à Sainte-Famille, cette dernière année, pour l'ensemble de l'île, déjà couverte par des chapelles et des registres d'état civil dans chaque localité. L'érection des quatre paroisses détachées de Sainte-Famille retarde à 1714, en raison de l'absence de Mgr de Saint-Vallier en France de 1700 à 1713. Mis à part l'érection de Saint-Joachim en 1721, le portrait paroissial ne change pas avant le milieu du XIXe siècle.

Les habitants sont-ils satisfaits du découpage territorial des paroisses et de la facilité des déplacements vers l'église paroissiale ? L'enquête de 1721 du procureur général Benoît-Mathieu Collet sur l'organisation paroissiale l'amène à la fin de mars et au début d'avril dans chaque paroisse de la Côte-de-Beaupré et de l'île d'Orléans. Il trouve 157 chefs de famille sur la Côte-de-Beaupré et 249 sur l'île d'Orléans, plus une quinzaine de fermes exploitées par des non-résidents (dont 13 sur l'île d'Orléans). Ses rencontres lui permettent de conclure dans tous les cas que les habitants sont satisfaits de l'emplacement des églises et des distances pour s'y rendre. Le seul cas quelque peu litigieux concerne Saint-François, dont l'église doit être reconstruite en pierre sur le site actuel du côté sud de l'île et dont une partie des paroissiens qui habitent du côté nord de l'île souhaiteraient la voir déplacée plus au centre de l'île. Une telle éventualité posait le problème du presbytère qu'il faudrait également rebâtir à proximité de l'église, une dépense trop considérable pour les moyens de la paroisse. Comme seuls cinq habitants étaient désavantagés, il ne fut pas considéré nécessaire de faire le changement. Dans ces conditions, l'église de chaque paroisse devient, dans les décennies et les siècles suivants, le cœur d'un village, tout comme les limites paroissiales formeront le cadre aux XIXe et XXe siècles des institutions municipales et scolaires.

Une agriculture fondée sur le blé

Mises en valeur tôt dans le développement de la colonie, les terres de la Côte-de-Beaupré et de l'île d'Orléans contribuent à l'approvisionnement alimentaire de la capitale. Le blé constitue la production de base de l'agriculture de la région, tout comme de l'ensemble de la colonie, car il sert à la préparation du pain à la base de l'alimentation familiale ; sa production permet d'acquitter en nature une partie des redevances seigneuriales et la dîme versée au curé ; par la vente des surplus sur le marché de Québec, elle assure les entrées de numéraire consacrées au paiement des redevances en argent et aux achats de biens de consommation non produits sur la ferme. Pour leur part, le seigneur et le curé peuvent eux aussi participer à un commerce du blé florissant, dont l'importance pour la colonie transparaît lors de mauvaises récoltes. Les autorités de la colonie se voient alors contraintes de prendre des mesures exceptionnelles pour éviter la famine, comme en 1751.

Tout commence par les défrichements et la mise en production d'une plus grande superficie des lots. Sur l'île d'Orléans en 1725, la proportion des superficies défrichées des fermes augmente rapidement, sur des terres de 2 à 4 arpents en largeur sur une profondeur variable allant jusqu'au milieu de l'île. La proportion atteint 30 % des fermes qui égalent ou dépassent 60 arpents de sols exploitables et permet de dégager des surplus exportables, alors que 53 % se situent entre 30 et 59,9 arpents et assurent les besoins de consommation et les dîmes et redevances. Sur la Côte-de-Beaupré en 1732, ces proportions atteignent respectivement à peine 13,5 % et 39,9 % de fermes. Cela s'explique en partie par la configuration des terres, d'une largeur comparable, mais d'une profondeur hors norme de 126 arpents, en raison de l'absence de second rang. Contrairement à l'île d'Orléans, la zone la plus fertile des terres de la Côte-de-Beaupré est limitée à la lisière entre l'escarpement et les rives du fleuve, alors que le plateau entre la forêt et la montagne de l'arrière de chaque lot se révèle moins productif. Certaines terres de 6 arpents de front offrent cependant une superficie exploitable dépassant largement 60 arpents.

Bien que le blé domine nettement, l'avoine (environ le quart des récoltes de blé) et les pois trouvent un place dans les cultures de la région destinées à l'alimentation du bétail, alors que l'on retrouve quelques récoltes de lin, de chanvre et de tabac surtout au XVIIIe siècle, principalement pour la consommation locale, sans que les deux premiers produits réussissent à profiter du débouché de l'industrie de la construction navale. Le jardin de l'habitant fournit les légumes, soit les oignons rouges, les carottes et les navets en grand nombre, mais aussi les choux, les laitues, les radis, les concombres, les courges et citrouilles, les haricots, les fèves et les pois. Les pommiers, pruniers et cerisiers apportent les fruits. L'habitant peut ainsi varier son alimentation selon la saison en produits qu'il peut aussi acheminer frais sur les marchés de la ville ou entreposer dans des caveaux pour sa consommation pendant l'hiver.

Dès leur arrivée, les habitants recherchent des protéines animales pour leur permettre d'attendre leurs récoltes végétales annuelles et de diversifier leur consommation. Inspirés par les Amérindiens, ils s'adonnent à la pêche dans le fleuve et à la chasse dans les bois. Les actes de concession leur concèdent généralement ce droit sur et devant leur terre. À mesure que leur installation acquiert un caractère permanent, ils augmentent

Agriculture et pêche au Château-Richer par Thomas Davies, 1787
(Musée des beaux-arts du Canada, n° 6275)

le nombre de bovins, de chevaux, de porcs et de volailles sur leur ferme, au-delà des quelques unités nécessaires à leurs besoins propres. Plusieurs fermes de la région possèdent des troupeaux importants, notamment la Grande Ferme de Cap-Tourmente exploitée par le Séminaire de Québec, et des fermes à Château-Richer. De plus en plus au XVIIIe siècle, la moyenne du cheptel par ferme s'accroît encore. Toutefois, devant la difficulté d'accumuler des surplus pour l'alimentation des animaux durant l'hiver, la pratique de la boucherie d'automne et de la conservation par le froid des produits animaux pendant l'hiver limite cette croissance des effectifs. L'approvisionnement des troupes françaises et les pillages et les destructions de l'armée britannique lors de la guerre de la Conquête mettent à mal les activités agricoles de la région.

Au fil des saisons, les travaux agricoles occupent la plus grande partie de la population de la Côte-de-Beaupré et de l'île d'Orléans, tant les hommes que les femmes et les enfants : il faut notamment défricher, labourer, semer et récolter ; il faut s'occuper du jardin et des animaux de ferme ; il faut couper sur la terre le bois de chauffage, le bois de construction et le bois marchand ; il faut construire et entretenir la maison, les bâtiments, les clôtures, les fossés et le chemin qui traverse la propriété. En plus de sa prise en charge et de sa participation à plusieurs de ces activités, la fermière doit assumer la fabrication du pain et des repas, le lavage, la fabrication des tissus et des vêtements, l'éducation des enfants. De ce fait, elle constitue une partenaire indispensable à l'exploitation d'une ferme. Une relativement faible proportion des fermes emploient des engagés, de sorte que les ressources d'une grande famille deviennent un atout non négligeable.

Moulins, activités économiques et transports

Le seigneur avait la responsabilité de fournir aux habitants un service de mouture du blé en farine dans une moulin seigneurial (banal) et les seconds étaient tenus d'y apporter leur blé à moudre. Dès 1657, un premier moulin établi par la Compagnie de Beaupré existait à Château-Richer. Mu par le vent, ce moulin est rejoint, quelques années plus tard, par un moulin à eau situé tout près sur la rivière du Sault à la Puce, pour desservir les habitants de la Côte-de-Beaupré. Plus à l'ouest, à la limite de Château-Richer et de

L'Ange-Gardien, le Séminaire construit en 1695, sur la rivière Lotinville au Petit-Pré, un grand moulin seigneurial, destiné aux besoins accrus de la seigneurie, mais aussi à ceux plus développés de la colonie et de ses exportations de farine. Le bâtiment est incendié en 1705 et reconstruit, son approvisionnement en eau est augmenté par un barrage de retenue et il est agrandi dans les années 1740. Par la suite, il est détruit par l'armée britannique à la Conquête avec celui de Sault-à-la-Puce et reconstruit encore aussitôt en réutilisant une partie des matériaux du second.

Sur l'île d'Orléans, la faiblesse et le caractère saisonnier du débit des cours d'eau rendent plus difficile l'établissement de grands moulins, de sorte que moulins à vent et moulins à eau y remplissent les fonctions de transformation du blé en farine.

Moulin du Petit-Pré, près de Château-Richer, construit en 1695
(Bibliothèque et Archives nationales du Québec, Centre d'archives de Québec, photo Gariépy)

Moulin à vent, Sainte-Famille, île d'Orléans, photo des années 1930
(Bibliothèque et Archives nationales du Québec, Centre d'archives de Québec, P547,S1,SS1,SSS1,D631,P43)

Deux moulins à vent existeraient depuis les années 1660, l'un à Sainte-Famille (1664) sur la rive nord et l'autre à Saint-Laurent (1668) sur la rive sud alors que des moulins à eaux s'ajouteront, également à Sainte-Famille (1679 ou vers 1723 selon les sources) et à Saint-Laurent (1716). Ce dernier est le seul à avoir survécu sur l'île à travers des transformations et des changements de vocation, tout comme celui du Petit-Pré sur la Côte-de-Beaupré.

En plus de la culture, de la transformation et de la mise en marché des céréales, de l'élevage des animaux et du commerce des autres produits agricoles, l'économie de la Côte-de-Beaupré et de l'île d'Orléans peut s'appuyer sur l'exploitation de quelques autres ressources naturelles. Comme l'illustre l'aquarelle de Davies de 1787 (p. 33), les battures de la Côte-de-Beaupré se hérissent de piquets de pêche délimitant des parcs où l'on pêche l'éperlan ou l'alose, mais aussi d'autres espèces marines. Les efforts pour commercialiser la pêche aux marsouins (bélugas) pour son huile et sa peau ne donnent pas des résultats très brillants, faute de fréquentation assez assidue de cette espèce dans la région. Par contre, la pêche à l'anguille par les mêmes moyens rapporte plus et se généralise dans tous les environs de Québec.

Tout comme dans les autres parties des environs de Québec, des carrières de pierre alimentent les activités de construction résidentielle et institutionnelle dans les villages et dans la ville de Québec. Sont particulièrement prisés, les lits de calcaires de Château-Richer servant à la construction et à la fabrication de chaux ou ceux de grès de forte épaisseur à L'Ange-Gardien et sur l'île d'Orléans pour les ouvrages de construction nécessitant une résistance accrue (foyer, cheminée, mur coupe-feu, dallage ou pavage des rues). La réglementation des autorités coloniales requérant l'usage de la pierre au lieu du bois pour la construction en ville contribue à l'essor de cette production. Enfin des dépôts d'argile et de sable à proximité de la rivière aux Chiens entre Château-Richer et Sainte-Anne-de-Beaupré se prêtent, très tôt, à la fabrication de briques et sont exploités par la famille Drouin et ses descendants pendant l'ensemble du Régime français.

Accrochée au fleuve, la région héberge également plusieurs navigateurs et quelques familles de charpentiers de navires pouvant construire de petites embarcations, tels les Langlois de Saint-Pierre aux XVIIe et XVIIIe siècles. Même si l'emplacement d'un chantier royal sur la pointe sud-ouest de l'île d'Orléans est recommandé par l'ingénieur Chaussegros de Léry en 1743, la centralisation de la construction navale royale à Québec au chantier du Cul-de-Sac rassemble les charpentiers de la région et laisse peu de place à une telle industrie sur l'île. La tannerie, qui puise sa principale matière première dans les activités d'élevage et de chasse, s'installe également sur l'île, dès les années 1660, avec les familles Charest, Thibierge et Jahan qui y feront carrière tant sur l'île qu'à Québec. Là s'arrête toutefois la diversification économique d'une région encore essentiellement agricole.

Si les défrichements entament de plus en plus le couvert forestier des terres de la région au profit des cultures, les réserves de bois pour la construction et le chauffage se maintiennent principalement sur la Côte-de-Beaupré et permettent le développement, pour les villages et la ville de Québec, d'un commerce de bois de construction, mais aussi d'imposantes quantités de bois de chauffage. Les grands bâtiments institutionnels urbains en consomment d'énormes quantités pendant la saison froide. Comme les produits forestiers circulent difficilement sur les chemins, leurs producteurs utilisent plutôt le fleuve pour atteindre les marchés.

Pendant tout le Régime français, la circulation des biens et des personnes de la Côte-de-Beaupré et de l'île d'Orléans s'appuie sur la navigation sur le fleuve dans de petites embarcations. Barques et chaloupes sillonnent le fleuve autour de Québec, les premières à plusieurs voiles d'une capacité de 25 à 35 tonneaux, les secondes de plus petites dimensions avec une voile. Des bateaux plats le descendent avec des fourrures et le remontent avec des produits de consommation. Pour une île et une région côtière à proximité d'un grand centre comme Québec, la navigation se révèle un lien indispensable, mais interrompu pendant l'hiver. La glace sur le fleuve fournit toutefois une solution de rechange sous la forme d'un pont de glace balisé et entretenu à la manière d'une chemin.

La circulation terrestre affronte plus d'obstacles, notamment les rivières, de la Montmorency jusqu'à la Sainte-Anne, qui ne sont pas navigables, mais qui doivent être franchies par des ponts. Les sentiers d'origine deviennent des chemins à la charge des habitants dont ils traversent les terres, sous la responsabilité et la supervision du grand-voyer. À la fin du XVIIᵉ siècle, il existe un chemin sur toute la Côte-de-Beaupré et un autre ceinturant l'île d'Orléans. Ils subiront progressivement des améliorations, à la demande des habitants et à la recommandation des différents grands-voyers, tout particulièrement des ponts et ponceaux. Affectés par les conditions climatiques printanières et automnales et par la circulation de fortes charges, les chemins retiennent l'attention de tous les habitants, en particulier ceux qui destinent leur production au marché de Québec et qui veulent circuler vers le centre de la paroisse. La difficulté d'ouvrir des chemins vers l'arrière-pays montagneux, couplée à la mauvaise qualité de terres, limite l'expansion de la Côte-de-Beaupré.

Société et culture régionale

À quoi ressemble la société établie sur la Côte-de-Beaupré et l'île d'Orléans sous le Régime français ? La majorité de la population se retrouve sur des fermes qui, une fois passées les dures années d'établissement, se révèlent de plus en plus productives et offrent à certains une aisance et une influence qui leur donnent accès, en compagnie des autres membres des élites, aux institutions locales. Ils se retrouvent au sein de la paroisse, sous l'égide d'un curé désigné par l'évêque, dont ils soutiennent par la dîme l'établissement, la construction d'une église et d'un presbytère et l'entretien annuel. Les élites et les agriculteurs à l'aise gèrent à titre de marguilliers les biens de la paroisse dans un conseil de fabrique. La tâche vient avec un statut social confirmé. Le curé, ses supérieurs ecclésiastiques et les autorités civiles font des institutions paroissiales le centre du pouvoir local. L'église constitue le lieu de rassemblement des habitants pour les services religieux, mais aussi pour la sociabilité et la diffusion des informations officielles des autorités coloniales et seigneuriales sur son parvis et des autorités religieuses pendant la messe lors du prêche. Pour assurer une audience au curé et éviter les désordres, l'intendant Raudot défend, en 1706, aux paroissiens de la Côte-de-Beaupré de sortir pendant le prêche et de fumer ou de consommer quelque boisson enivrante à la porte ou autour de l'église.

Sur le plan religieux, l'univers paroissial s'organise au rythme du calendrier liturgique marqué par les dimanches et les fêtes chômées et aussi par les sacrements à chaque étape de la vie, de la naissance à mort. Il s'exprime également par des congrégations, dont certaines sont très répandues dans la région, telle celle de la Sainte-Famille présente partout et qui invite les femmes mariées ou sur le point de le devenir à imiter le modèle familial de saint Joseph, la Vierge Marie, l'Enfant Jésus et les anges. D'autres (celles du Scapulaire et du Rosaire surtout) ont

L'église de Sainte-Anne-de-Beaupré, par J. P. Cockburn
(Bibliothèque et Archives Canada, C-150704)

été retracées dans quelques paroisses où elles sont les plus nombreuses et variées comme à Sainte-Anne-du-Petit-Cap, à Château-Richer et à Sainte-Famille.

La pratique religieuse se développe dans le contexte des incertitudes, des guerres et des catastrophes qui s'abattent sur la population et devient une occasion de messes, de processions et de cérémonies pour se protéger des maladies contagieuses, des mauvaises récoltes et de la famine, des tremblements de terre (dont celui à forte magnitude survenu dans Charlevoix en 1663), ainsi que des incursions iroquoises ou des invasions britanniques. En France, au XVIIe siècle, la dévotion à sainte Anne se répand dans les régions d'émigration et, en relation avec la mère de Louis XIV, Anne d'Autriche, elle apparaît à Petit-Cap sur la Côte-de-Beaupré dès le début de la colonie. Au-delà de la légende d'une protection non confirmée contre un naufrage qui aurait eu lieu dans les années 1650, la chapelle de Sainte-Anne-du-Petit-Cap, construite de 1658 à 1661, voit très tôt la manifestation de guérisons, celle de Louis Guimond et bien d'autres qui viennent appuyer la réputation du site. Marie de l'Incarnation écrit en 1665 que l'on voit « marcher les paralytiques, les aveugles recevoir la vue, et les malades de quelque maladie que ce soit recevoir la santé ». Mgr de Laval décrète la fête de sainte Anne, le 26 juillet, fête obligatoire, et acquiert un fragment d'os comme relique et une petite statue, exposés à compter de 1670. Le petit sanctuaire est reconstruit en pierre, en 1676, et agrandi, en 1694, pour accueillir des pèlerins de partout et parmi les premiers des Amérindiens, en plus des habitants de la région et de la Nouvelle-France qui viennent d'abord individuellement, puis en groupe. Les curés sont vite débordés par l'affluence. Lors de la Conquête, l'église échappe « miraculeusement » aux destructions que l'armée britannique inflige aux localités de la Côte-de-Beaupré.

Éducation et apprentissage

La paroisse sert aussi de cadre aux activités éducatives rudimentaires qui se développent sous le Régime français. Des maîtres de petites écoles élémentaires sont présents dans les années 1670 sur la Côte-de-Beaupré et à l'île d'Orléans, sans qu'on les connaisse bien, et offrent une éducation minimale, se limitant à une initiation au catéchisme, à la lecture, à l'écriture et au calcul. Deux établissements plus importants d'enseignement aux filles (à Sainte-Famille à compter de 1685 et à Château-Richer en 1689) relèvent des religieuses de la Congrégation de Notre-Dame de Montréal jusqu'à la Conquête, alors qu'un petit séminaire pour garçons existe à Saint-Joachim de 1685 à 1715 à l'initiative du Séminaire de Québec. À part cela, la formation à un métier se fait par l'apprentissage auprès d'un maître et, dans le cas du travail agricole, sur une ferme.

La paroisse héberge en la milice une institution regroupant tous les hommes de 16 à 60 ans aptes à porter le fusil. Cette milice conserve une grande importance dans le contexte des guerres qui ponctuent l'histoire de la Nouvelle-France. Une ou plusieurs compagnies de 50 à 80 hommes équipés regroupent leurs membres sous l'autorité d'un capitaine commissionné par le gouverneur. En plus d'exercer des fonctions militaires y compris l'intendance des compagnies, le capitaine de milice assume des fonctions civiles. Il exécute des décisions du grand-voyer et transmet le courrier et les décisions de l'intendant. Bref, il représente les autorités civiles auprès de la population locale.

Peut-on parler de villages dans le cas de ces paroisses rurales de la Côte-de-Beaupré et de l'île d'Orléans ? Bien que le village avec son lotissement et ses activités artisanales, professionnelles et commerciales, soit un phénomène du XIXe siècle, il s'en trouve des manifestations dans les années 1750. Ainsi, le Séminaire de Québec fait, en 1752, une demande officielle, au gouverneur et à l'intendant, pour établir un village à Château-Richer afin de permettre l'installation sur des petits lots d'ouvriers et d'artisans nécessaires aux activités agricoles (outillages agricoles), en raison surtout de l'isolement de Québec de la Côte-de-Beaupré, au printemps et à l'automne pendant les crues de la rivière Montmorency. Ce site comporte déjà 8 ou 10 emplacements occupés et le manoir seigneurial où est rendu la justice pour l'ensemble de la Côte-de-Beaupré. Son statut est confirmé en janvier 1753.

Un patrimoine culturel en formation

Vu l'ancienneté de leur peuplement, la Côte-de-Beaupré et l'île d'Orléans se distinguent maintenant des autres régions du Québec par la qualité et l'importance de leur patrimoine matériel sur lequel une industrie touristique dominante dans l'économie régionale a pu être fondée. Principal bâtiment de chaque localité, l'église paroissiale est passée la plupart du temps d'une chapelle en bois rudimentaire à une petite église en pierre bâtie selon un modèle modeste et sans éclats, repris à quelques variantes près dans toute la région (voir illustrations). La plupart de ces temples subiront des modifications et des agrandissements pour accueillir une population grandissante, parfois une recons-truction après un incendie (Saint-Joachim en 1759) ou en raison

Ferme du Séminaire de Québec à Cap-Tourmente, en 1960
(Bibliothèque et Archives nationales du Québec, Centre d'archives de Québec, E6,S8,P6799-A-11)

de son mauvais état (Sainte-Famille en 1746). Leur valeur artistique et patrimoniale tient surtout au décor intérieur et aux objets sacrés qui y sont utilisés.

L'évêché et le Séminaire de Québec, agissant aussi comme seigneur, sont très intimement liés aux paroisses sur la Côte-de-Beaupré, mais le sont également sur l'île d'Orléans. Ils alimentent ces paroisses en œuvres d'art et en travaux de décoration inté-rieure des églises paroissiales et les paroisses de la Côte-de-Beaupré sont particulièrement choyées et en ont conservé de nombreux éléments. Des retables des églises incluent le maître-autel et le tabernacle, des statues, des colonnes classiques et sont surplombés par une peinture grand format. Ainsi, le sculpteur Jacques Leblond de Latour (1671-1715), arrivé en Nouvelle-France en 1690, exécute de nombreuses œuvres dans les quatre paroisses de la Côte-de-Beaupré, ainsi qu'un de ses élèves, Charles Vézina (1685-1755). Le peintre Claude François, dit le

Jardin et ferme ancestrale de l'île d'Orléans
(Collection privée, carte postale)

frère Luc (1614-1685), venu brièvement en Nouvelle-France et resté en relation avec elle par la suite, contribue à fournir des tableaux aux paroisses, alors qu'à Sainte-Anne des ex-voto affichent la reconnaissance pour faveurs obtenues par l'intermédiaire de la sainte à l'occasion d'affaires maritimes notamment. Finalement, des pièces d'orfèvrerie, en particulier des ostensoirs, des calices et des ciboires, pour la plupart provenant de France, complètent l'éventail des manifestations d'un art religieux présenté à la population catholique des paroisses.

Même l'architecture des modestes habitations rurales de la Côte-de-Beaupré (le long du chemin du Roy) et de l'île d'Orléans témoigne aujourd'hui des nombreuses caractéristiques architecturales des premières habitations, inspirées de la tradition française et graduellement adaptées aux conditions hivernales de la région. Des ameublements et des outillages de production artisanale ont été remarquablement préservés. Tant les églises que les habitations et quelques moulins et manoirs seigneuriaux attestent de l'héritage culturel laissé par la première période d'occupation française, le tout dans un décor insulaire et côtier dont les paysages évoquent la terre, le fleuve et les montagnes, de même qu'au loin le promontoire de Québec.

4

Une terre francophone dans une colonie britannique, 1759-1867

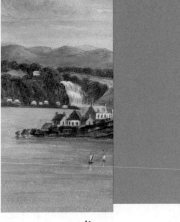

La guerre de la Conquête et les bouleversements qui l'accompagnent affectent substantiellement l'histoire de la Côte-de-Beaupré et de l'île d'Orléans. Située sur le trajet des armées britanniques en route vers Québec et à proximité du siège de la ville qu'elles engagent en 1759, la région occupe une position stratégique que les militaires britanniques reconnaîtront, tant pour les manœuvres militaires que pour les approvisionnements aussi bien des assiégés que des assiégeants. Par la suite, le territoire retourne à sa vocation agricole, sans une présence britannique significative malgré la nouvelle situation que vit l'ancienne colonie française, devenue une composante de l'empire britannique.

Conquête et population en croissance

Lorsqu'en mai 1759 il devient clair qu'une armée britannique d'invasion s'amène sur le fleuve en amont de Québec, les autorités françaises décident d'évacuer plusieurs des localités sur ses deux rives et sur l'île d'Orléans. Elles envisagent quelque temps de fortifier l'île, mais y renoncent devant la difficulté d'en défendre les positions. À la fin de mai, la population de l'île d'Orléans est évacuée vers Charlesbourg avec du bétail, après avoir caché une partie des récoltes et des provisions. Comme prévu, l'armée britannique prend position sur l'île à la fin de juin et au début de juillet, y compris un campement important sur la pointe nord-ouest de l'île. Jusqu'à la grande bataille décisive sur les plaines d'Abraham du 13 septembre 1759, l'armée britannique bombarde la ville et attaque l'armée française, installée à Beauport, à partir de l'île et de la côte de Beaupré (L'Ange-Gardien). Elle dévaste l'île et la Côte-de-Beaupré, en détruisant les habitations et en pillant les récoltes et le bétail et ne conserve que quelques églises et bâtiments pour ses besoins. À la fin des opérations par la capitulation de la ville, les habitants peuvent revenir sur leurs terres, mais se retrouvent pour la plupart sans maison, ni ressources pour passer l'hiver. Ils doivent de plus composer avec un conquérant qui s'installe à Québec, mais qui doit respecter les droits de propriété et de pratique de la religion de la majorité de la population française.

Dans une région à vocation essentiellement agricole et dont les meilleures terres sont déjà occupées par des familles d'origine française, la population connaît une croissance modérée au XVIIIe siècle attribuable surtout au fort surplus des naissances sur les décès. Une partie des habitants restent sur les terres et une majorité s'établissent dans les autres régions du Québec en cours de peuplement. Entre 1765 et 1825, la population de Côte-de-Beaupré double presque grâce à une occupation en démarrage de l'arrière-pays, tout particulièrement à Saint-Ferréol, et dans les villages comme Château-Richer (voir tableau 4.1). Par la suite, de 1825 à 1871, la population double encore, en croissance surtout dans les zones de colonisation agricole des hauteurs, principalement à Sainte-Brigitte-de-Laval, à Saint-Achillée, une mission de Château-Richer, à Saint-Ferréol et dans la partie de Saint-Joachim qui formera Saint-Tite-des-Caps.

Importante sur l'île d'Orléans de 1765 à 1825 surtout à Saint-Jean, la croissance de la population de l'île ralentit sérieusement à Saint-Laurent et Saint-Pierre, et stagne même dans plusieurs paroisses, principalement à Saint-François et à Sainte-Famille, mais progresse encore substantiellement à Saint-Jean, grâce à ses activités de navigation et de pilotage à la rivière

Tableau 4.1

Estimations de la population de la Côte-de-Beaupré et de l'île d'Orléans, 1765-1871

	1765	1790	1825	1831	1844	1851	1861	1871
Sainte-Brigitte-de-Laval					231	399	617	763
L'Ange-Gardien	418	478	657	769	808	829	932	1 049
Château-Richer	495	640	1 060	1 063	1 111	1 250	1 537	1 618
Sainte-Anne-de-Beaupré	362	478	639	667	770	969	1 035	1 154
Saint-Joachim	362	507	674	742	850	1 068	1 296	923
Saint-Ferréol	125	276	487	502	487	667	882	991
Saint-Tite-des-Caps								663
Côte-de-Beaupré (total)	1 762	2 379	3 517	3 743	4 257	5 182	6 299	7 161
Sainte-Famille	457	884	781	750	843	850	888	834
Saint-François	378	242	563	662	543	521	561	552
Saint-Jean	524	652	1 023	1 275	1 222	1 281	1 433	1 436
Saint-Laurent	473	499	760	769	751	877	933	993
Saint-Pierre	471	643	895	893	818	887	1 022	1 109
Île d'Orléans (total)	2 303	2 920	4 022	4 349	4 177	4 416	4 837	4 924
Côte-de-Beaupré et île d'Orléans	4 065	5 299	7 539	8 092	8 434	9 598	11 136	12 085

Sources : Marc Vallières et autres, *Histoire de Québec et de sa région*, Québec, PUL, 2008, p. 1014 et recensement de 1765.

Lafleur, au quai du village et dans les anses adjacentes. Globalement, la population de l'île d'Orléans atteint 4 000 habitants au début des années 1820 et n'a pas dépassé 5 000 en 1871. La population de la Côte-de-Beaupré rejoint et dépasse celle de l'île d'Orléans, dans la première moitié des années 1840, et se détache par la suite de plus de 2 000 habitants, en raison d'un territoire ouvert vers le nord susceptible d'accueillir de nouveaux agriculteurs ou travailleurs forestiers.

Après la Conquête, la région ne reçoit guère de nouveaux arrivants non francophones et non catholiques. Le premier recensement qui pose une question sur la religion des habitants, celui de 1831, vient confirmer qu'il ne se trouve sur la Côte-de-Beaupré et l'île d'Orléans qu'un seul protestant, un méthodiste à Saint-Joachim. Ceux de 1844 et de 1851 en retracent 23 et 24, dont 18 et 10 à Sainte-Brigitte-de-Laval et 3 et 12 à Château-Richer respectivement. Il n'en reste plus que 16 en 1861, alors que les protestants remontent à 38 en 1871, en grande partie à Saint-Pierre où il s'en trouve 19, vraisemblablement dans le secteur de la future Sainte-Pétronille. Dans l'ensemble de la région, moins d'un tiers de 1 % de la population n'est pas catholique. Il se trouve néanmoins une minorité irlandaise catholique anglophone concentrée à Sainte-Brigitte-de-Laval qui atteint plus d'une centaine d'immigrants, en 1844, et qui, en 1861, avec leurs enfants nés au Canada, donne un total de 350 Irlandais d'origine en 1871. Ceux-ci représentent les trois quarts de la population de cette localité en 1844, et environ la moitié aux recensements suivants. Les quelques autres immigrants irlandais de la région se retrouvent dispersés avec leurs descendants et représentent à peine une vingtaine d'individus en 1871. Du point de vue religieux, ethnique et linguistique, la partie de la région occupée au Régime français conserve une remarquable homogénéité culturelle.

Seigneurs, députés et institutions locales

La Conquête aurait pu signifier une transformation des institutions locales dans le monde rural, mais il a fallu du temps pour les implanter, parmi une population essentiellement d'origine française. Les anciennes institutions locales survivent, que ce soit le régime seigneurial, la milice ou la paroisse. Il faut attendre les années 1840 avant que de nouvelles prennent la relève ; les municipalités et les commissions scolaires s'ajoutent alors à la paroisse catholique pour renouveler le pouvoir local.

Des seigneuries productives

Contrairement à d'autres seigneurs de la Nouvelle-France qui se prévalent de la possibilité de se réfugier en France, Jean Mauvide et sa famille conservent la moitié ouest de l'île d'Orléans et s'intègrent aux élites qui dirigent la colonie britannique. La famille de Jean Mauvide, et tout particulièrement sa fille Marie-Anne Mauvide et son mari, René-Amable Durocher, et leurs héritiers, conservent la seigneurie dans leur patrimoine jusqu'en 1800, alors qu'elle est acquise par un marchand et armateur de Québec, Joseph Drapeau. La partie est de l'île est achetée par James Murray en 1764 des héritiers Gaillard, puis transmise à Malcolm Fraser en 1779 et finalement au meunier Louis Poulin en 1805. Les familles Poulin et Drapeau conservent la propriété des deux moitiés de l'île jusqu'à la fin du régime seigneurial en 1854. Dans la seigneurie de la Côte-de-Beaupré, le Séminaire de Québec continue d'exercer les droits seigneuriaux avec vigueur jusqu'à l'abolition du régime.

La seigneurie de la Côte-de-Beaupré, la seconde au Québec en valeur, vaut à ce moment 328 891 $, dont 136 250 $ pour les vastes terres non concédées ou propriété du Séminaire, 75 200 $ pour les domaines et manoirs, 32 000 $ pour les moulins, alors que les redevances se montent à 31 752 $ pour les cens et rentes, 41 689 $ pour les lods et ventes et 17 000 $ pour la banalité. Les deux seigneuries de l'île d'Orléans sont évaluées à 17 749 $ pour

James Murray, gouverneur et seigneur de l'île d'Orléans
(Bibliothèque et Archives Canada, C-26065)

la partie ouest et 11 485 $ pour la partie est, incluant des moulins de 4 000 $ et 5 000 $ respectivement. Les fiefs et arrière-fiefs de l'île se situent très loin à 5 362 $ pour celui d'Argentenaye (André Lemelin), incluant un moulin de 1 400 $, à 1 213 $ pour celui de Beaulieu (les Gourdeau), à 685 $ pour La Chevallerie et 401 $ pour Dumesnil. Une fois les compensations pour les redevances versées et les rentes capitalisées, les dernières contraintes du système seigneurial disparaissent. Les vastes terres inoccupées du Séminaire de Québec restent sa propriété et attendent de nouveaux développements, sur un territoire sans cantons.

Représentation politique

Avec l'institution d'une assemblée représentative en 1792, plusieurs membres des élites canadiennes-françaises accèdent par élection au pouvoir public. La Côte-de-Beaupré dans le comté de Northumberland qui inclut également Charlevoix (renommé Montmorency à partir de 1830) élit deux députés concurremment, certains pour de longues périodes, dont Pierre-Stanislas Bédard (1792-1808) et son fils Elzéar (1832-1836), Philippe Panet (1816-1824 ; 1830-1832), Jean-Marie Poulin (1800-1809), Étienne-Claude Lagueux (1814-1824 ; 1827-1830). Jusqu'en 1830, l'île d'Orléans ne délègue pour le comté d'Orléans qu'un seul député, notamment Jérôme Martineau (1796-1809), Charles Blouin (1810-1820), François Quirouet (1820-1833) et Jean-Baptiste Cazeau (1830-1838). Sous la nouvelle constitution de 1840, les circonscriptions de Montmorency et d'Orléans sont regroupées à la Chambre d'assemblée de la Province du Canada et disposent d'un seul

Elzéar Bédard (1799-1849), avocat, député de Montmorency de 1832 à 1836 et premier maire de Québec en 1833 et 1834
(Archives de la ville de Québec, n° 000392)

député. De 1844 à 1867, le nouveau comté de Montmorency élit continuellement l'avocat et journaliste Joseph-Édouard Cauchon, qui fait une carrière politique nationale d'envergure et parfois controversée, accédant à des responsabilités ministérielles de 1855 à 1857 et de 1861 à 1862 et même à la mairie de Québec de 1866 à 1868.

Des institutions municipales et scolaires

Après la Conquête, les autorités britanniques constatent qu'à part la paroisse et la milice, organisée sur une base paroissiale, les institutions locales en milieu rural sont à construire. Insatisfait d'être dépendant sur une organisation du territoire liée étroitement à la religion catholique, le gouvernement britannique ne dispose pas de solution de rechange, de sorte qu'il se contente de geler la création de nouvelles paroisses et la concession de nouvelles seigneuries, ce qui ne cause guère de préjudice à la Côte-de-Beaupré et à l'île d'Orléans, déjà amplement pourvues en seigneuries et paroisses. Il utilise tout de même la base paroissiale pour la réorganisation de la milice. Le capitaine de la milice paroissiale intervient non seulement dans les activités militaires, mais aussi dans des fonctions civiles et administratives (coroner, officier de la paix, question de voirie

Joseph-Édouard Cauchon (1816-1885), avocat, député de Montmorency de 1844 à 1867 et ministre, maire de Québec (1866-1868)
(Bibliothèque et Archives nationales du Québec, Centre d'archives de Québec, Photo Notman, vers 1865)

avant 1796, attestation de bonnes mœurs, organisation d'assemblées locales d'élection). La milice et plusieurs autres commissions locales, comme les juges de paix, fournissent l'occasion
aux élites seigneuriales, professionnelles ou commerciales de
participer aux services collectifs locaux, mais y donnent accès
aussi à certains agriculteurs à l'aise.

Parmi les dossiers d'intérêt local qui retiennent l'attention
de tous les habitants, la construction et l'entretien des chemins
suscitent le plus de débats et d'interventions. Les autorités
coloniales britanniques maintiennent en place la fonction de
grand-voyer présente sous le Régime français et ajoutent même
des grands-voyers de comté, tels J.-Thomas Taschereau et Robert
D'Estimauville dans Northumberland au début du XIXe siècle,
des sous-voyers et des inspecteurs des chemins et des ponts dans
les paroisses. Leur rôle est de s'assurer de la construction et de
l'entretien des chemins et d'en répartir les coûts et les travaux
entre les propriétaires. Assemblées et pétitions transmettent les
problèmes et les demandes à la Chambre d'assemblée du Bas-
Canada pour financement. Seuls les travaux sur des ponts
importants et les principaux chemins interrégionaux obtiennent
des subventions ponctuelles. Il fallait trouver une solution au
financement de la construction et de l'entretien des chemins et
cette préoccupation rejoint la recommandation du rapport
Durham d'établir des administrations municipales.

Entre 1840 et 1855, le gouvernement de la Province du
Canada cherche à faire accepter des institutions municipales et
les établit d'abord sur la base des comtés électoraux de 1840 à
1845, puis des paroisses de 1845 à 1847 et de 1847 à 1855 à
nouveau des comtés. La formation des conseils de comté signifie pour le comté de Montmorency que des représentants de
chaque paroisse siègent au conseil, perçoivent des contributions
et assument la responsabilité des travaux de construction et
d'entretien des chemins ruraux. Finalement, en 1855, l'« Acte
concernant les Municipalités et les Chemins dans le Bas-
Canada » vient ajouter au conseil de comté de Montmorency
une municipalité de paroisse pour chacune des paroisses de la
Côte-de-Beaupré et de l'île d'Orléans. Les maires de chaque

municipalité de paroisse font partie du conseil de comté et répartissent les contributions de chacune au financement du conseil, sur la base de l'évaluation des propriétés sur leur territoire. La municipalité de comté assume la responsabilité des chemins principaux et des ponts qui sont déclarés « de comté », alors que les chemins secondaires sont pris en charge par les municipalités de paroisse. Chaque niveau municipal inspecte ses chemins et décide des contributions en nature, services ou argent des propriétaires de façade. Les chemins situés à l'extérieur des territoires municipalisés et en cours d'occupation agricole bénéficient dans les années 1850 et 1860 d'une aide gouvernementale. C'est le cas du chemin Laval vers Sainte-Brigitte et du chemin Cauchon vers Saint-Ferréol.

La création de nouvelles municipalités est synchronisée généralement avec l'érection des paroisses, dans la mesure où elles dépendent toutes les deux des capacités financières des résidents. Avec le peuplement des parties nord des paroisses de la Côte-de-Beaupré, il faut progressivement établir des missions dans une maison privée ou dans une chapelle pour desservir les nouvelles communautés catholiques et éventuellement ouvrir des registres d'état civil pour les baptêmes, mariages et sépultures. Ainsi, l'ouverture à l'occupation agricole sur le territoire le long de la rivière Montmorency dans le nord de la paroisse de L'Ange-Gardien conduit à la création d'une mission en 1836 et l'ouverture de registres en 1849 à Sainte-Brigitte-de-Laval, de même que le peuplement de la partie nord de Sainte-Anne-de-Beaupré et de Saint-Joachim provoque la formation d'une mission en 1801 et le début des registres en 1849 à Saint-Ferréol et enfin une vaste partie de Saint-Joachim au nord-est obtient une mission en 1853 et des registres en 1867 pour ce qui deviendra Saint-Tite-des-Caps. L'érection canonique et civile de la mission en paroisse découle d'une décision de l'archevêché d'autoriser la construction d'une église et d'un presbytère et la nomination d'un curé résident, ce qui se produit à Sainte-Brigitte-de-Laval en 1863 puis confirmé en 1873, à Saint-Ferréol en 1871 et à Saint-Tite-des-Caps en 1876. L'érection municipale se réalise en 1875 à Sainte-Brigitte-de-Laval, en 1855 à Saint-

Ferréol et en 1872 à Saint-Tite-des-Caps. Les retards et les écarts s'expliquent par la faible taille de la population et ses modestes ressources sur des terres peu productives. Si une mission n'atteint pas une population suffisante, elle ne peut aspirer au statut de paroisse ou de municipalité. C'est le cas de la partie isolée de Château-Richer, située dans des vallées du cours supérieur de la rivière du Sault à la Puce, appelée la mission Saint-Achillée à partir des années 1830, dont la population ne dépasse pas 200 habitants.

La formation en 1845 de commissions scolaires responsables des écoles de rang et de villages s'inscrit également dans la foulée des paroisses et des municipalités de paroisse, avec lesquelles elles partagent le même rôle d'évaluation. La taxation municipale et scolaire établie à cette époque permet de soutenir modestement des petites administrations locales, dont les membres élus par les propriétaires fonciers proviennent des élites commerciales et professionnelles locales ou sont des agriculteurs aisés et instruits. Cela ouvre la voie à plusieurs d'entre eux vers la mairie, la présidence (préfet) du conseil de comté et la politique provinciale.

L'agriculture traditionnelle et les marchés de Québec

Le caractère essentiellement agricole de la Côte-de-Beaupré et de l'île d'Orléans se maintient après la Conquête jusque dans les années 1860. Les quelques indicateurs que nous livrent les premiers recensements, à compter de celui de 1831, tendent à confirmer que 98 % des ménages résidents s'adonnent à l'agriculture, comme c'est le cas en 1851. Vingt ans plus tard, ils ne comptent plus que pour 72 %, soulignant une transformation récente dans les activités économiques de la région.

Même si nous n'avons pas beaucoup d'informations sur les productions et les pratiques agricoles d'avant 1831, l'agriculture de la région, selon une enquête de 1816, reste concentrée sur la production du blé comme céréale de base, mais subit des baisses de rendements avec l'épuisement des terres, faute de rotation adéquate, de variétés de blés plus résistantes aux aléas d'une saison écourtée par les gels et de méthodes d'éradication des mauvaises herbes. L'instrumentation agricole ne semble pas avoir progressé depuis le Régime français, sauf pour l'usage en croissance du cheval au lieu des bœufs pour les labours. Les propositions de transformations à cette époque incluent l'introduction de nouvelles céréales, comme l'avoine et le foin, mieux adaptées aux sols et aux conditions climatiques, de la pomme de terre bien reconnue en Europe et du navet pour l'alimentation animale. Elles encouragent l'augmentation du cheptel bovin et des autres animaux sur la ferme, avec sélection et amélioration des races.

Il semble, d'après les recensements, que plusieurs de ces améliorations sont appliquées sur les nouvelles fermes des localités d'occupation récente, comme à Sainte-Brigitte-de-Laval et Saint-Ferréol. Elles trouvent leur chemin aussi dans les vieilles fermes déjà exploitées à saturation au milieu du XIXe siècle. Il

Labourage avec des bœufs à l'île d'Orléans, vers les années 1930
(Musée des sciences et des technologies du Canada,
coll. Canadien national, n° 12283)

n'y a pas de place pour l'extension des fermes sur l'île d'Orléans et même la superficie mise en culture cesse de s'accroître à cette époque. Les nouvelles paroisses permettent encore une augmentation sur la Côte-de-Beaupré, mais il n'en est rien sur celles de la rive du fleuve. Les récoltes de blé diminuent de moitié entre 1830 et 1850 sur la Côte-de-Beaupré pour se situer à environ 20 000 boisseaux de 1850 à 1870, alors qu'elles sont en chute libre de 33 000 boisseaux en 1830 à moins de 4 000 en 1870 sur l'île d'Orléans. L'avoine sur la Côte-de-Beaupré et la pomme de terre sur la Côte-de-Beaupré et l'île d'Orléans connaissent des hausses spectaculaires dans les années 1850 et surtout 1860.

Pendant les années 1850 et 1860, les recensements révèlent aussi un accroissement du cheptel bovin moyen, y compris les vaches laitières, sur la Côte-de-Beaupré et à l'île d'Orléans, mais aussi nettement plus prononcé dans les localités de l'île d'Orléans et dans certaines de la Côte-de-Beaupré (L'Ange-Gardien et Château-Richer). Un bon nombre de fermes disposent donc d'un cheptel allant bien au-delà de l'autosuffisance et leur ouvrant la possibilité de vendre du beurre, du lait et des viandes dans les villages en formation et dans les marchés publics de la ville de Québec, gonflés par la très forte croissance de sa population résidente et de passage. Cela n'est pas encore suffisant pour parler d'un virage marqué vers les activités laitières.

En plus des produits laitiers et de la viande, les agriculteurs de la Côte-de-Beaupré et de l'île d'Orléans peuvent acheminer des légumes et des fruits vers les marchés de Québec. Pour cela, les chemins et les autres

Ancien caveau à légumes à Château-Richer vers 1957
(Bibliothèque et Archives nationales du Québec, Centre d'archives de Québec, E6,S7,SS1,P1201-57)

moyens de transport jouent un rôle indispensable. Les agriculteurs peuvent utiliser les chemins à barrières de la rive nord qui rejoignent Château-Richer dans les années 1850, mais exigent des droits de passage aux barrières, le fleuve au moyen des traversiers ou d'embarcations qui accostent près de la basse-ville ou de la rivière Saint-Charles ou enfin les ponts de glace entre l'île et la côte de Beaupré ou de Beauport. Par ailleurs, plusieurs écoulent leurs céréales et leurs surplus d'animaux auprès d'artisans de la ville, tant les boulangers, les bouchers que les tanneurs, ou échangent du foin pour alimenter les chevaux de la ville contre du fumier provenant des écuries. Les échanges déjà présents avec des agriculteurs des environs de Québec s'étendent de plus en plus vers ceux la Côte-de-Beaupré et de l'île d'Orléans.

Les moulins et la construction de bateaux

Jusqu'à l'abolition du système seigneurial en 1854, les agriculteurs de la Côte-de-Beaupré et de l'île d'Orléans sont tenus de faire moudre leur blé et éventuellement leur avoine au moulin seigneurial. Les seigneurs de la région devaient entretenir leur moulin et engager un meunier pour l'exploiter. Ainsi, peu avant la fin du régime seigneurial en 1851, le Séminaire de Québec dessert L'Ange-Gardien, Château-Richer et Sainte-Anne-de-Beaupré avec son moulin du Petit-Pré, et l'est de la seigneurie avec celui de Saint-Ferréol (rivière Jean-Larose) et celui de Saint-Joachim (rivière Blondelle). Sur l'île d'Orléans, plusieurs petits moulins mus par le vent ou par des petits cours d'eau à faible débit, sauf pour quelques mois par année, rendent ce service aux agriculteurs des différentes localités. Le meunier de la seigneurie de l'est de l'île (Sainte-Famille et Saint-Jean), Louis Poulin, fait même l'acquisition de la seigneurie en 1805 et ses descendants la conservent jusqu'à l'abolition du système seigneurial.

À compter de 1854, les seigneurs n'ont plus l'obligation de moudre les céréales des habitants, de sorte qu'ils se départissent progressivement de leurs moulins, surtout que leur exploitation n'est guère rentable. Le Séminaire vend, en 1870, son moulin du Petit-Pré à George Benson Hall, ancien seigneur de

Beauport et entrepreneur forestier propriétaire des installations de sciage au pied de la chute Montmorency, à Beauport, et celui de Saint-Ferréol en 1860 à des intérêts locaux. Les producteurs de céréales ont toutefois d'autres possibilités d'écouler leurs céréales auprès de grands moulins privés, surtout celui de Jean-Baptiste Renaud sur la rivière Beauport, l'un des plus importants au Québec, en activité dès les années 1850, ainsi que celui de William Brown de Beauport.

En plus de ces moulins, d'autres activités industrielles se développent ponctuellement dans la région. Plusieurs chantiers de construction navale s'inscrivent dans la naissance de cette activité au port de Québec, en fonction du marché d'exportation en Grande-Bretagne pour les plus grands navires et du marché local pour les goélettes destinées au cabotage régional. Les premiers grands voiliers de taille modeste sortent des chantiers de L'Ange-Gardien et de l'île d'Orléans entre 1810 et 1815, suivis en 1824 et 1825 des plus grands voiliers jamais construits à Québec, les « droghers » *Columbus* (3 690 tonnes) et *Baron Renfrew* (5 294 tonnes), conçus par l'architecte naval Charles Wood et construits sur la pointe ouest de l'île d'Orléans. Ils devaient être utilisés pour le transport du bois équarri et être démontés à leur arrivée, mais le premier sombre dans une tempête à son deuxième voyage et le second est perdu à son arrivée, ce qui découragera la construction de tels navires devenus impossibles à assurer. Trois autres navires de taille plus raisonnable sont produits en 1826 et marquent la fin de l'expérience de construction des grands voiliers sur l'île. Par la suite, la construction navale se limite à quelques goélettes ou petits navires occasionnels sur l'île ou à Château-Richer, en plus de nombreuses chaloupes.

Quelques autres manifestations d'activités industrielles se produisent dans la région, souvent adjacentes aux moulins en place. Ainsi, William Drum le grand industriel du meuble de Québec, s'installe, en 1843 pour plus d'une vingtaine d'années, au Petit-Pré dans des espaces loués du Séminaire, où il fabrique des clous et des pièces tournées pour les chaises grâce au pouvoir hydraulique du moulin. Ces activités sont probablement rapatriées dans sa grande usine du quartier du Palais à Québec, équipée de machines à vapeur et détruite par un incendie en 1873. Ajoutons des activités de sciages plus ou moins artisanales surtout pour les besoins locaux, notamment à Sainte-Brigitte-de-Laval et à Château-Richer.

Les transports sur terre et sur l'eau

Si, durant l'été, l'île d'Orléans communique avec Québec et la Côte-de-Beaupré par chaloupes ou petits navires, l'hiver, la liaison devient plus difficile et il faut s'en remettre à des ponts de glace balisés et entretenus, reliant la pointe ouest de l'île à Québec, Saint-Pierre à L'Ange-Gardien ou Sainte-Famille à Château-Richer. Avant la prise des glaces et lors de leur fonte, l'île est isolée quelque temps. Il faut attendre 1855 avant qu'un traversier à vapeur (le *Petit Coq*) relie régulièrement Québec plusieurs fois par jour à partir du premier quai construit sur l'île, sur sa pointe ouest, dans ce qui deviendra Sainte-Pétronille. Voitures et passagers peuvent joindre Québec avec leurs bagages et leurs marchandises ou produits agricoles vendus à Québec.

Canot traversant le Saint-Laurent à Québec en hiver, gravure de 1870
(Bibliothèque et Archives nationales du Québec, centre de Québec,
L'Opinion publique, vol. 1, n° 6, p. 45, 12 février 1870)

Les municipalités de Saint-Laurent et Saint-Jean se dotent également de quais qui les placent sur un circuit de navettes entre Québec et des localités de l'île et de la rive sud plusieurs fois par semaine. Sur la Côte-de-Beaupré, tant pour les marchandises et les produits agricoles que pour les personnes, notamment pour les pèlerins de Sainte-Anne en nombre croissant à partir des années 1840, la circulation maritime domine les déplacements par sa rapidité et sa commodité.

La voie maritime reste populaire à cette époque parce que les chemins sont difficiles à utiliser. Le réseau routier remonte au Régime français, mais affronte plusieurs obstacles, tout particulièrement la rivière Montmorency, dont l'embouchure est soumise à des fortes marées, aux ensablements et aux dégels qui inondent le chemin du bord du fleuve. La construction d'un pont en haut de la chute est préconisée par le sous-grand-voyer Taschereau en 1799 et finalement réalisée en 1813-1814. Au terme de 30 ans de services, il faut le remplacer et la Commission des chemins à barrières de Québec, administratrice du chemin

Pointe de l'île d'Orléans et chute Montmorency, vue du vapeur *Unicorn* par M. M. Chaplin, vers 1841
(Bibliothèque et Archives Canada, C-000818)

qui y menait, décide de construire un pont suspendu tout près du haut de la chute en 1856. À peine ouvert, il s'effondre en raison d'une construction non conforme aux plans et la Commission revient à la méthode traditionnelle à proximité de l'ancien pont. Par ce moyen, la liaison entre la Côte-de-Beaupré et Québec par voie terrestre acquiert un caractère permanent et est poursuivie jusqu'à Château-Richer. Pour se rendre à Québec par ce chemin, les habitants de la Côte-de-Beaupré doivent acquitter des péages à la rivière Montmorency, à Beauport et au pont Dorchester.

Le chemin royal sur la Côte-de-Beaupré et le chemin de ceinture sur l'île d'Orléans ne connaissent pas de développements notables, si ce n'est la construction d'un pont à péage sur la rivière Sainte-Anne à Saint-Joachim peu après 1825 et celle d'un chemin de traverse entre les églises de Sainte-Famille et de Saint-Jean sur l'île d'Orléans, dans les années 1830. Par

Chemin vers Château-Richer, d'après J. P. Cockburn, 1829
(Bibliothèque et Archives Canada, C-040026)

contre, l'ouverture d'une voie terrestre de Saint-Joachim vers Baie-Saint-Paul suscite l'intervention du gouvernement du Bas-Canada dans les années 1810 et un tracé est adopté ; « le chemin des Caps » est construit de 1818 à 1823. En plus d'établir une liaison vers l'est, ce chemin et d'autres qui seront construits plus tard assurent des voies de pénétration de l'arrière-pays vers les nouveaux terroirs de Saint-Ferréol et de Saint-Tite-des-Caps. Le gouvernement finance également des chemins vers le nord pour rejoindre Sainte-Brigitte-de-Laval par le lac Beauport et Beauport.

Société et culture

Encore essentiellement agricoles et presque totalement catholiques, les anciens terroirs de la Côte-de-Beaupré et de l'île d'Orléans conservent les valeurs traditionnelles de leur héritage français sous la direction et la protection de l'Église catholique. Par les institutions paroissiales qu'elle contrôle et sa propriété seigneuriale sur la Côte-de-Beaupré, l'Église assure un encadrement social grandissant. En l'absence de développement marquant dans l'économie de la région qui aurait pu résulter dans l'installation de nouveaux immigrants et d'entrepreneurs, les seuls arrivants s'établissent dans des localités en pleine forêt, à peine capables d'assurer leur survie et les laissant dans la pauvreté.

Les services dans les paroisses restent rudimentaires et centrés sur la pratique religieuse. L'instruction des enfants offerte localement sous le Régime français semble avoir d'abord disparu après la Conquête, à l'exception du couvent-pensionnat de Sainte-Famille des religieuses de la Congrégation Notre-Dame, et ne renaît que dans les années 1820, à l'initiative de l'Église catholique, en réaction à la tentative gouvernementale d'établir des écoles sous l'égide de l'Institution royale à la fin des années 1810. La loi de 1824 sur les écoles de fabriques et celle de 1829 sur les écoles de syndics ouvrent la voie à l'établissement d'écoles sur une base paroissiale et confessionnelle et impliquent les curés, les marguilliers et les parents. Dans le comté de Montmorency, un relevé de 1831 retrace 5 écoles de fabrique,

13 écoles de syndic et 5 écoles privées, financées par les parents et parfois la fabrique. Au début, des contributions gouvernementales favorisent leur construction et leur fonctionnement, mais ces écoles disparaissent dans la crise politique des années 1830 et se révèlent difficiles à rétablir par la suite, de sorte que la plupart fonctionnent avec grande difficulté.

Il fallait stabiliser le système et la loi de 1846 créant des commissions scolaires paroissiales vient remettre en marche les écoles en assurant un financement public par des taxes foncières perçues des propriétaires, une subvention gouvernementale et des contributions de parents. Dans chaque paroisse, des écoles de rang desservent un arrondissement scolaire avec un maître ou, plus fréquemment, une maîtresse résidente qui enseigne dans une seule pièce aux enfants des quatre années du primaire. Cette mesure vient relancer l'apprentissage des matières élémentaires (lecture, écriture et arithmétique), disparu en même temps que les écoles et responsable d'une hausse de l'analphabétisme chez les francophones. L'implantation des écoles et leur financement se heurtent dans certaines paroisses très pauvres à des résistances importantes, comme c'est le cas à Sainte-Brigitte-de-Laval dans la communauté irlandaise. À Sainte-Famille, le couvent est maintenu et intégré à la commission scolaire locale, mais implique la création d'une école de garçons.

Il faut attendre la seconde moitié des années 1850 avant que des écoles modèles assurent dans chaque paroisse l'enseignement des dernières années du primaire et du début du secondaire, pour les enfants qui voulaient poursuivre au-delà de la formation minimale des écoles de rang. Elles sont établies d'abord à Saint-Jean, sur l'île d'Orléans, puis dans les années 1860 à Château-Richer et à Sainte-Famille pour les garçons et à L'Ange-Gardien et à Saint-Laurent pour les deux sexes. Dans tous ces cas, cet enseignement amorce un mouvement de concentration des écoles au village.

Même si la majorité des activités culturelles se produisent à Québec ou proviennent de Québec, elles se manifestent également sur la Côte-de-Beaupré et à l'île d'Orléans, le plus souvent dans les églises paroissiales. Principal édifice institutionnel de

chaque paroisse, l'église doit parfois être reconstruite. Ce fut le cas en raison d'une destruction lors de la Conquête à Saint-Joachim en 1779 et en raison de la détérioration de l'édifice ancien à Château-Richer en 1866. Beaucoup d'églises sont l'objet d'agrandissements (Château-Richer en 1777), de transformation de la façade (Sainte-Famille en 1868, Saint-Jean en 1852, Saint-Joachim en 1860), sans oublier leur décoration intérieure. Des architectes comme Thomas Baillairgé et ses disciples y contribuent, tout comme des sculpteurs comme les Levasseur ou un architecte également peintre, François Baillairgé. On assiste à la consolidation de l'art religieux traditionnel et de l'architecture résidentielle héritée du Régime français. Cette dernière se transforme au gré des améliorations techniques pour l'adapter au climat québécois et subit des agrandissements et des modifications qui ont préservé fréquemment l'intérêt patrimonial des bâtiments.

Le maître-autel de l'église de Saint-Pierre, île d'Orléans. Bois peint et doré du sculpteur Pierre Émond, 1795
(Bibliothèque et Archives nationales du Québec, Centre d'archives de Québec, Photo Inventaire des œuvres d'art)

5

L'arrivée du chemin de fer,
1867-1910

Longtemps isolée et imperméable aux flots d'immigrants qui sont arrivés en grand nombre à Québec dans le demi-siècle qui précède la Confédération, la population de la Côte-de-Beaupré et de l'île d'Orléans reste essentiellement agricole, mais voit arriver les nouveaux moyens de communication, surtout le chemin de fer, à la faveur des afflux de touristes à Sainte-Anne-de-Beaupré. La population rurale de la région amorce un déclin graduel, tant sur l'île d'Orléans (tableau 5.1), avec une baisse de 23 % entre 1871 et 1911, que dans les localités les plus rurales de la Côte-de-Beaupré (Saint-Joachim et Sainte-Brigitte-de-Laval). D'autres municipalités de la Côte-de-Beaupré connaissent soit une stabilisation, soit une hausse légère jusqu'en 1911 comme Saint-Ferréol, L'Ange-Gardien ou Château-Richer, soit une croissance importante, comme à Saint-Tite-des-Caps, encore en phase d'implantation agricole, et à Sainte-Anne-de-Beaupré où la population fait plus que doubler en raison de l'expansion des activités reliées au pèlerinage. La Côte-de-Beaupré bénéficie alors d'une diversification économique qui compense en partie les déficits dans le monde rural.

Tableau 5.1

**Population de la Côte-de-Beaupré et de l'île d'Orléans par municipalités,
1871-1911**

	1871	1881	1891	1901	1911
Sainte-Brigitte-de-Laval	763	690	639	657	655
L'Ange-Gardien	1 049	1 135	1 137	1 179	1 447
Château-Richer	1 618	1 820	1 587	1 595	1 773
Sainte-Anne-de-Beaupré	1 154	1 245	1 613	1 939	2 381
Saint-Joachim	923	959	897	853	853
Saint-Ferréol-les-Neiges	991	1 061	1 041	1 052	1 136
Saint-Tite-des-Caps	663	727	975	1 040	1 192
Côte-de-Beaupré	**7 161**	**7 637**	**7 889**	**8 315**	**9 437**
Sainte-Famille	834	817	786	751	618
Saint-François	552	496	508	496	481
Saint-Jean	1 436	1 412	1 277	1 137	940
Saint-Laurent	993	864	792	797	702
Saint-Pierre	1 109	763	772	595	560
Beaulieu/Sainte-Pétronille (village)		333	285	220	477
Île d'Orléans	**4 924**	**4 685**	**4 420**	**3 996**	**3 778**
Côte-de-Beaupré et île d'Orléans	**12 085**	**12 322**	**12 309**	**12 311**	**13 215**

Source : Marc Vallières et autres, *Histoire de Québec et de sa région*, Québec, PUL, 2008, p. 1492.

Transport ferroviaire et tourisme religieux

À partir des années 1850, les chemins de fer commencent à sillonner le Québec et rejoignent même la rive sud de Québec en 1855 par le Grand Tronc, puis Québec sur la rive nord en 1879 par le Québec, Montréal, Ottawa et Occidental (QMOO) et enfin le Saguenay–Lac-Saint-Jean par le Québec et Lac Saint-Jean en 1888. Dans ce contexte, il ne faut pas se surprendre que des entrepreneurs envisagent de poursuivre des chemins de fer vers l'est, Charlevoix ou le Saguenay. Un projet concurrent à celui du Québec et Lac-Saint-Jean, le Québec, Montmorency et Charlevoix (QMC), voit le jour en 1881 à l'initiative des frères Charles et François Langelier de Québec et d'autres investisseurs. À cette époque, les deux sont avocats et font des carrières politiques très actives au niveau provincial dans Montmorency et Portneuf respectivement et le second au niveau municipal à Québec. Le projet vise à relier le QMOO à un port ouvert à l'année à Baie-Sainte-Catherine en face de Tadoussac et à construire un embranchement de Saint-Urbain à Chicoutimi. Au dire des promoteurs, les territoires traversés regorgent de ressources forestières (pour la scierie de Montmorency et le bois de chauffage pour Québec), minérales (carrières de pierres de la Côte-de-Beaupré et mines de fer de Saint-Urbain), agricoles sur la Côte-de-Beaupré et Charlevoix et touristiques à Sainte-Anne-de-Beaupré qui est fréquenté par 50 000 pèlerins à cette époque. Le chemin de fer doit être construit sur les propriétés fédérales riveraines du fleuve et évite ainsi les difficultés et les coûts des droits de passages agricoles, des clôtures et des fossés sur la façade du fleuve et du transport terrestre des matériaux.

L'église de Sainte-Anne-de-Beaupré et le chemin de fer
de Sainte-Anne, fin du XIXᵉ siècle
(Bibliothèque et Archives nationales du Québec,
Centre d'archives de Québec, photo Livernois)

Dotée de subventions gouvernementales, la compagnie de chemin de fer QMC, dans laquelle s'engage l'entrepreneur ferroviaire Horace Beemer, à compter de 1886, mise d'abord sur sa vocation touristique, en construisant un premier tronçon de 30 km, reliant Québec à Sainte-Anne-de-Beaupré, terminé en 1889, qui transporte 100 000 pèlerins à sa première année de service. Pendant les années 1890, elle tire les trois quarts de ses revenus du transport de passagers. En 1894, elle prolonge le réseau jusqu'au cap Tourmente et attend des subventions gouvernementales pour poursuivre dans Charlevoix, un territoire nettement moins rentable. Le QMC se lance en 1895 dans le transport par tramways urbains électrifiés en participant à la création du Quebec District Railway et fait l'acquisition en 1897 de la Montmorency Electric Power Co qui exploite la centrale de la chute Montmorency en activité depuis 1885. Le QMC fait partie l'année suivante de la consolidation de tout cet actif et d'autres entreprises dans la Quebec Railway, Light and Power Co (QRLP) qui exploite le chemin de fer de Sainte-Anne et les tramways urbains dans un même réseau électrifié au complet en 1900, sauf pour certains trains de marchandises. Le réseau vers Sainte-Anne ressemble davantage à un train de banlieue avec de multiples arrêts rapprochés le long de son parcours.

La poursuite vers Charlevoix du réseau tarde à se matérialiser et ce sera grâce à la participation de l'homme d'affaires et député fédéral de Charlevoix, Rodolphe Forget, dans la réorganisation du Quebec Railway, Light, Heath & Power (QRLHP) en 1909, dont il assume la présidence en 1910. Construit à 85 % en 1912, le chemin de fer subit des retards et n'atteint La Malbaie qu'en 1919. Deux ans plus tard, il est intégré au Canadien National. Un autre projet de chemin de fer dans la région naît, en 1907, d'un groupe d'hommes d'affaires et de politiciens de Québec. Il vise à relier Québec en passant au nord du chemin Royal dans Beauport, en traversant sur l'île d'Orléans quelque part entre Montmorency et Château-Richer et en la parcourant jusqu'à Saint-François. Des reports et des modifications à sa charte jusqu'au début des années 1920 témoignent des difficultés à réaliser un chemin de fer, dont on ignore si des travaux ont été faits.

Même avant l'arrivée du chemin de fer, le site de Sainte-Anne-de-Beaupré attirait de plus en plus de pèlerins. Déjà sous le Régime français, les visiteurs y venaient nombreux pour vénérer les reliques et bénéficier des grâces de sainte Anne. Les nouveaux moyens de transport permettent de passer à une fréquentation de masse : c'est le cas de la navigation à vapeur qui, à compter des années 1840 et de plus en plus dans les années 1860, rend le voyage plus facile. Les équipements et les services de la petite paroisse parviennent difficilement à accueillir convenablement les pèlerins : il faut remplacer l'église qui tombe en ruines. Une basilique est alors construite de 1872 à 1876. La vieille église peut être démolie deux ans plus tard et remplacée par une chapelle commémorative. Les sœurs de la Charité de Québec établissent un accueil de femmes qui favorise le début d'une activité hôtelière et d'hébergement en habitations converties. Les pères Rédemptoristes sont choisis en 1878 pour le ministère de la paroisse et du lieu de pèlerinage et un contingent vient de Belgique prendre en charge les services religieux et faire la promotion du lieu. La nouvelle église est agrandie dans les années 1880. Des bâtiments institutionnels et des aménagements sont ajoutés pour servir les pèlerins et répondre aux besoins de

L'arrivée des pèlerins sur le quai de Sainte-Anne-de-Beaupré
(Bibliothèque et Archives nationales du Québec, Centre d'archives de Québec, collection Bureau, P547,S1,SS1,SSS1,D459,P174)

la communauté : un monastère réalisé par étapes, une réplique de l'escalier de la Passion (la Scala Santa) de 1891 à 1894, le Cyclorama de Jérusalem devenu permanent en 1895, le vieux chemin de croix rénové et un juvénat en 1896. Des Rédemptoristines hollandaises s'installent dans un monastère construit de 1905 à 1907 et les Franciscaines de Marie remplacent les sœurs de la Charité de Québec dans leur couvent et leur accueil des dames. La confrérie des Dames de Sainte-Anne (1850) et les *Annales de la bonne sainte Anne*, publiées depuis 1873 et prises en charge par les Rédemptoristes en 1898, de nouvelles reliques, la fontaine de Sainte-Anne et la statue miraculeuse (1881) appuient la dévotion à sainte Anne et alimentent en pèlerins un lieu qui acquiert une envergure internationale. De 17 000 en 1874, la fréquentation atteint 50 000 en 1881 et 100 000 en 1890 en marche vers 200 000 au début des années 1920. La contribution du chemin de fer est indéniable au succès des pèlerinages.

Une agriculture en transformation

L'agriculture sur la Côte-de-Beaupré et à l'île d'Orléans se caractérise de 1871 à 1911 par la stabilité : il y a environ 740 fermes de plus de 4 hectares (ha) sur la Côte-de-Beaupré, occupant de 44 000 à 47 000 ha et mettant en culture une superficie en croissance de 7 000 à 10 000 ha, ce qui indique une exploitation plus intensive, surtout à Saint-Ferréol et Saint-Tite-des-Caps. Les 360 fermes de l'île d'Orléans occupent 19 000 ha et mettent en culture 7 000 ha. Le profil des fermes se maintient avec les fermes les plus grandes sur les anciens terroirs de la Côte-de-Beaupré et une proportion de mise en culture plus faible et des fermes plus petites sur les plateaux en cours de mise en exploitation, alors qu'à l'île d'Orléans les fermes sont exploitées plus intensivement à Sainte-Famille, Saint-Jean et Saint-Laurent.

La culture du blé est en voie de disparition sur l'île d'Orléans et elle diminue grandement sur la Côte-de-Beaupré dans le dernier tiers du XIXe siècle, où elle ne reste substantielle qu'à Saint-Joachim. L'avoine se maintient partout à des niveaux élevés, tout comme la pomme de terre, cette dernière étant concentrée surtout à Saint-Jean et Sainte-Famille, et subissant une perte de vitesse seulement à Sainte-Brigitte-de-Laval, Saint-Pierre et Saint-Laurent. Par ailleurs, les récoltes de foin font plus que doubler en quantité de 1871 à 1911, et encore plus dans les zones d'occupation récente. Les grandes superficies qui lui sont consacrées confirment l'entrée de plain-pied dans la production laitière comme dans l'ensemble du Québec de la fin du XIXᵉ siècle. Ce virage s'opère avec plus de vigueur sur l'île d'Orléans et se manifeste d'abord par une production de lait excédant les besoins de la famille, écoulée localement ou transformée en beurre sur la ferme pour la vente. Au milieu des années 1890, plusieurs syndicats coopératifs de fabrication de beurre se forment dans les paroisses et transforment le lait en beurre pour les marchés. C'est le cas à Sainte-Famille, à Saint-Jean, à Saint-François, à Saint-Pierre et à Château-Richer. Dans d'autres localités, des beurreries privées rendent des services semblables, comme celle d'Elzéar Huot à L'Ange-Gardien dès le début des

Réminiscence de l'habitat ancien : ferme ancestrale de Saint-François, île d'Orléans, en 1979
(Bibliothèque et Archives nationales du Québec, Centre d'archives de Québec, Macro-inventaire aérien des biens culturels (MIBC), C79.576.20A)

années 1890, puis celle de Joseph Lortie. Sainte-Anne-de-Beaupré bénéficie de la laiterie d'Elzéar Fortier et de celle de Ludger Leblond, qui est combinée avec une fromagerie à Saint-Tite-des-Caps. Finalement, s'ajoute, pendant la décennie 1900-1910, la fromagerie de Narcisse Robert à Saint-François.

La proximité de Québec et les interventions du gouvernement provincial contribuent au développement de l'agriculture dans la région. Les sociétés d'agriculture de comté, subventionnées par le gouvernement provincial, organisent des concours, des expositions et la distribution de semences et d'animaux reproducteurs. Dans les années 1870 et 1880, il existe une société d'agriculture pour Montmorency n° 1 (côte de Beaupré) et une autre pour Montmorency n° 2 (île d'Orléans). Au début des années 1880, les cercles agricoles patronnés par le clergé et agissant sur la base paroissiale viennent concurrencer les sociétés agricoles : le premier est formé à Saint-François en 1881 et les autres se répandent par la suite dans chaque paroisse : en 1895, il y en a 6 sur la Côte-de-Beaupré et 5 sur l'île d'Orléans, avec une cinquantaine de membres chacun. Ils affaiblissent gravement les sociétés d'agriculture, au point où celle de la Côte-de-Beaupré suspend ses activités en 1894 et répartit son actif entre les cercles du comté ; celle de l'île d'Orléans est dissoute au même moment. Les deux reprennent leurs activités quelques années plus tard. Des initiatives d'expérimentation agricole par les gouvernements se produisent également, notamment une grand ferme de démonstration à L'Ange-Gardien en 1892 pour le troupeau laitier d'Édouard-A. Barmard, directeur provincial de l'agriculture, où il poursuit ses recherches sur la production laitière jusqu'à son décès en 1898.

Un début de diversification économique

L'agriculture domine nettement l'économie de la région, mais quelques autres activités amorcent une diversification économique qui se produit ailleurs dans la région de Québec. D'abord, dans une région où les produits forestiers règnent en maître sur les activités de production et d'exportation du bois équarri et du bois scié, notamment au complexe industriel de

George Benson Hall situé aux limites ouest de la Côte-de-Beaupré à Montmorency, il serait normal qu'il y ait des retombées dans la région. Il n'en est rien toutefois avant le début du XXe siècle. Cela tient possiblement à la configuration des rivières Montmorency et Sainte-Anne, qui est moins favorable que celles de Portneuf (Jacques-Cartier et Sainte-Anne), à l'absence de chemin de fer dans l'arrière-pays pour l'expédition du bois et à la zone tampon possédée par le Séminaire de Québec au nord de la Côte-de-Beaupré, même si ce dernier sera ouvert éventuellement à rendre accessibles ses ressources ligneuses en location. Il est probable qu'une faible partie de l'alimentation en bois de la grande scierie de Montmorency, en activité jusqu'au début des années 1890, provienne de son bassin hydrographique, mais cela reste à démontrer.

Il faut attendre le tournant du siècle avant que les concessions forestières au nord des propriétés du Séminaire retiennent l'attention d'entrepreneurs forestiers. Harold Kennedy, exportateur de bois scié de Québec et exploitant de plusieurs grosses scieries dans le nord de Portneuf au lac Saint-Joseph (1900), à Saint-Léonard (1903), à Saint-Raymond (1903) et à Rivière-à-Pierre (1906), ajoute à ses concessions de Stoneham et Tewkesbury, des cantons Colbert et Rocmont et de Saint-Gabriel dans Portneuf et Québec, celles de Montmorency et Des Neiges en 1903. Un autre entrepreneur forestier, John Breakey, surtout actif dans la vallée de la Chaudière en Beauce, acquiert en 1905 les concessions de la rivière Sainte-Anne (de Beaupré). Avec le développement anticipé de l'exportation et la transformation de bois en pâte pour le papier, une entreprise américaine, la Bayless Pulp, acquiert à compter de 1906 d'importantes concessions dans Stoneham et Tewkesbury non détenues par Kennedy, dans le bassin de la Jacques-Cartier et dans celui de la Sainte-Anne de Beaupré en partie dans Charlevoix (en 1907).

Il existe pourtant des activités de sciage parfois importantes dans la plupart des localités de la région, en association parfois avec le rabotage des planches ou la production de farine ou le cardage de la laine. Sur l'île d'Orléans, ces scieries sont de petite taille, mues à l'eau ou à la vapeur : c'est le cas notamment de celles des Gosselin de Saint-Laurent, des Elzéar et Joseph Plante et de la Société de scierie de la paroisse de Saint-Pierre et de Napoléon Gagnon de Saint-François. Sur la Côte-de-Beaupré, certaines scieries sont actives sur les terres du Séminaire dans les bassins de la rivière du Sault à la Puce ou de la rivière aux Chiens ou à leur embouchure à Château-Richer, entre autres celles des Richard et Samuel Tremblay, de Ferdinand et Alcide Lefrançois, les Chateau Richer Lumber, et des Côté, Cloutier et Goulet. D'autres sont présents dans la décennie 1900 et plus tard à Saint-Ferréol (Louis Gagnon), à Saint-Tite-des-Caps (Télesphore et Léon Ferland et Christophe Racine), à Saint-Joachim (Joseph Côté) et à Beaupré (François Gauthier).

Au-delà des moulins à scie et à farine de la région, on ne retrouve guère d'autres activités industrielles significatives. Les agriculteurs peuvent compter sur quelques artisans du village pour se chausser (cordonniers), se construire (charpentiers-menuisiers), se procurer du pain (boulangers), réparer et fabriquer des vêtements (modistes et tailleurs), réparer les voitures (charrons), ferrer les chevaux et réparer les instruments aratoires (forgerons), traiter les peaux (tanneurs), etc. Quelques fabricants de chaloupes, surtout sur l'île d'Orléans, répondent à une demande locale.

Les villages en développement incluent également des activités commerciales, provenant d'abord des familles de marchands généraux, tels les Goulet et Gariépy de L'Ange-Gardien, les Simard, Gariépy et Rhéaume à Château-Richer, les Paré, Goulet, Simard, Raymond, Morel et Fortin de Sainte-Anne-de-Beaupré et Saint-Joachim, les Auclair à Sainte-Brigitte-de-Laval, les Morency, Lachance et Bolduc à Saint-Ferréol, les Ferland, Paré, Renaud et Leblond à Saint-Tite-des-Caps, les Asselin, Marquis, Paradis, Blouin et Prémont de Sainte-Famille, les Émond de Saint-François, les Blouin, Turcotte, Dupuis et Bernard de Saint-Jean, les Lapointe, Lachance, Pouliot et Bouffard de Saint-Laurent, les Rousseau et Ferland de Saint-Pierre et Rousseau de Sainte-Pétronille. Autour de 1900, les marchands généraux voient arriver des concurrents spécialisés, les épiciers, les bouchers, les magasins de marchandises sèches et quelques autres qui prendront une part grandissante du commerce de détail villageois.

Finalement, les ressources minérales de la région, surtout les carrières de pierre calcaire, continuent d'être exploitées pour les matériaux de construction ou pour la production de chaux. Ces carrières font partie de formations géologiques qui traversent la région de Québec, et celles de Château-Richer présentent un attrait particulier pour l'industrie de la construction. Elles sont exploitées par intermittence par des entrepreneurs locaux mal connus, pour des projets à Château-Richer ou à Québec. La production artisanale de chaux est aussi mentionnée dans le recensement de 1871 à L'Ange-Gardien, Château-Richer, Sainte-Anne et Saint-Ferréol. Le même recensement inclut dans Saint-Pierre, île d'Orléans, un moulin à ciment de N.H. Bowen employant 16 travailleurs pour 9 mois et produisant pour une valeur de 13 600 $. Que dire aussi de l'expérience surprenante d'entrepreneurs allemands, en 1913, qui font l'acquisition de terrains sur la pointe d'Argentenay et ailleurs sur l'île et qui installent une usine de production d'articles en ciment, soit des briques, des tuyaux de drainage et des tuiles de parquet, à Saint-Jean, profitant de ses battures sablonneuses. Le début de la Première Guerre mondiale l'année suivante entraîne sa disparition et laisse planer un doute quant à la vocation réelle de cette activité qui aurait pu être plus militaire qu'industrielle, étant donné la position stratégique de l'île à l'entrée du fleuve.

Paroisses, municipalités et villages

Le tournant des années 1870 marque une étape importante dans l'organisation paroissiale et municipale de la Côte-de-Beaupré et de l'île d'Orléans. L'occupation agricole des territoires de l'arrière-pays de la Côte-de-Beaupré atteint un seuil suffisant pour justifier aux yeux des autorités religieuses diocésaines l'érection des paroisses de Saint-Ferréol en 1871 et de Saint-Tite-des-Caps en 1876 et l'amendement de celle de Sainte-Brigitte-de-Laval en 1873. L'organisation paroissiale débouche tout naturellement sur l'érection municipale : c'est le cas, en 1872, à Saint-Tite-des-Caps et à Saint-Ferréol et à Sainte-Brigitte-de-Laval, en 1875.

Sur l'île d'Orléans, dans le contexte d'une population stable, voire déclinante, la création d'un desserte en 1870 dans une nouvelle église à Sainte-Pétronille au « bout de l'île » répond au développement de nouvelles activités autour du quai et du service régulier de traversier avec Québec depuis les années 1850. Les habitants de l'île circulent par là pour se déplacer et expédier leurs produits agricoles vers Québec, mais il y a aussi des touristes en visite sur l'île et des résidents saisonniers à l'aise qui commencent à y acquérir des propriétés à la campagne. C'est en comptant sur les contributions de ces derniers que les autorités diocésaines acceptent la requête d'une cinquantaine de paroissiens de Saint-Pierre pour construire une église « paroissiale » avec statut de desserte, en attendant l'érection canonique qui se produira seulement en 1935. Son territoire, détaché de Saint-Pierre et de Saint-Laurent, obtient son érection municipale pour ses 300 habitants et plus à titre de village, en 1874, sous le nom de Beaulieu.

Église et presbytère de Sainte-Pétronille en 1894
(*Le Monde illustré*, le 17 mars 1894)

Au début du XXe siècle, les tensions entre les villages en croissance et les populations agricoles des zones rurales des municipalités de paroisse s'accentuent en raison des demandes de services d'approvisionnent en eau et de construction de trottoirs en bois. Surtout dans la décennie 1910-1920, de nombreux villages se détachent des municipalités de paroisses et, dans la région, il se produit à Sainte-Anne-de-Beaupré un phénomène hors de l'ordinaire, qui tient presque du miracle. Il ne fait pas de doute que le développement d'activités touristiques au village devient déterminant dans une démarche discutée au conseil municipal depuis 1902 pour convertir la municipalité de paroisse en municipalité de village. Les exigences légales, en particulier d'une population s'élevant à 10 000 habitants, ne peuvent s'appliquer, de sorte que les élus municipaux sont déçus. La configuration sur un seul rang ou presque de la portion rurale de la municipalité de paroisse et la concentration au village d'activités importantes d'institutions religieuses exemptées de taxes compliquent encore la question. En 1906, une solution semble être trouvée, alors que la portion villageoise de la municipalité de paroisse demande au conseil de comté de Montmorency d'ériger son territoire en municipalité de village. Elle l'obtient facilement selon la loi, le 11 mai 1906, et le reste de la municipalité de paroisse demande quelques semaines plus tard son rattachement à la municipalité de village, ce qu'il obtient le 13 juin 1906, complétant ainsi la conversion en municipalité de village. Cette association dure 13 ans et se termine en 1920 par la séparation du territoire rural du village, un revirement encore inexpliqué.

Entre 1867 et 1910, il ne faut pas attendre beaucoup des gouvernements municipaux, faute de ressources. Le revenu annuel moyen des municipalités se situe entre 100 et 250 dollars pour celles de l'île d'Orléans et autour de 400 $ sur la Côte-de-Beaupré avant 1900 et 1 125 $ entre 1900 et 1910. Cela équivaut à 1 $ ou 1,25 $ par contribuable par année avant 1900 et 3 $ ou 4 $ pendant la première décennie du XXe siècle. La taxation foncière constitue de loin la principale source de revenus, mais les propriétés rurales riveraines du fleuve valent généralement entre 1 000 $ et 1 200 $ jusque dans les années 1910 et encore moins pour celles de l'arrière-pays. Les municipalités planifient leurs dépenses, les plus importantes étant la cotisation au conseil de comté, le salaire d'un secrétaire-trésorier à temps partiel, les contributions pour les aliénés de la municipalité, s'il y en a, et pour le palais de justice du comté et quelques frais de matériel de bureau, en plus de faibles sommes pour les inspecteurs et l'entretien des chemins. Le total de ces dépenses est réparti entre les propriétaires à un taux allant de quelques cents le 100 $ d'évaluation à quelques dollars. L'idée d'emprunter pour financer des infrastructures est complètement étrangère aux finances municipales et l'emprunt de 12 800 $ contracté, dans les années 1860, par Saint-Jean auprès du fonds d'emprunt municipal du Bas-Canada constitue une exception. Cet emprunt ne sera remboursé que dans la seconde moitié des années 1880. L'endettement municipal ne réapparaît qu'en 1907 à Saint-Anne-de-Beaupré et modestement, peu après la conversion en village.

Pendant cette période, rares sont les municipalités de la région qui sortent de leurs responsabilités traditionnelles concernant les chemins et il faut attendre les besoins en services provoqués par l'expansion du village en raison d'une implantation industrielle ou d'activités commerciales ou institutionnel-

Sainte-Anne de Beaupré, vers 1910
(Bibliothèque et Archives nationales du Québec,
Centre d'archives de Québec, collection Bureau)

les particulières. Cela se produit relativement tardivement sur la Côte-de-Beaupré et à l'île d'Orléans, sauf à Sainte-Anne-de-Beaupré, centre de pèlerinages et d'institutions religieuses. La nouvelle municipalité de village constitue un corps de police en 1906 et emprunte 10 000 $, l'année suivante, pour l'acquisition d'un petit réseau privé d'aqueduc (celui de Joseph St-Hilaire) et la construction d'un nouveau réservoir et de conduites en fonte. Le service de distribution de l'eau constitue aussi la base d'un système de protection contre les incendies. La municipalité est en discussion en 1904 avec la Quebec Railway, Light and Power Co pour installer un système d'éclairage du chemin Royal dans le village, sans succès toutefois, mais revient à la charge en 1910 et conclut l'année suivante un contrat de cinq ans renouvelable. Aux poteaux téléphoniques déjà présents dans les années 1900 s'ajoutent des poteaux électriques.

Les conseils de comté de Montmorency n° 1 (Côte-de-Beaupré) et n° 2 (île d'Orléans) s'occupent des chemins et des ponts d'intérêt régional. De plus, la liaison hivernale entre l'île et la côte relève tant des conseils de comté que des municipalités concernées, car l'initiative d'une municipalité de l'île engage celle de la côte à contribuer. Dans les années 1880, il en coûte entre 12 $ et 15 $ par année pour l'entretien des ponts de glace entre Château-Richer et Sainte-Famille et entre Saint-Pierre et L'Ange-Gardien. Par ailleurs, en 1914, Sainte-Pétronille donne à contrat à Louis Noël, pour 250 $, l'entretien du pont de glace direct entre l'île et Québec de même que celui qui relie Sainte-Pétronille et Montmorency. Les ponts de glace constituent une extension naturelle des chemins de l'île et de la côte et un service essentiel de communication hivernale entre les parties de la région et la ville de Québec.

Société et culture

Dans une région presque totalement catholique, l'église paroissiale, le curé et les institutions religieuses et éducatives affiliées se situent au centre de la vie sociale et culturelle de la paroisse. Pour une population essentiellement agricole, le rythme des tâches agricoles quotidiennes se conjugue avec celui du

calendrier hebdomadaire et annuel des activités religieuses. À compter des années 1860, l'Église affirme d'ailleurs sa présence dans toutes les étapes de la vie et toutes les activités sociales avec plus d'intensité et de contrôle et avec la participation de ses membres. Sauf dans quelques nouvelles paroisses de l'arrière-pays (Sainte-Brigitte-de-Laval, Saint-Ferréol et Saint-Tite-des-Caps), l'organisation des paroisses est déjà en place, mais l'accroissement des ressources humaines disponibles rend possible une extension des services religieux et sociaux offerts aux agriculteurs. Au curé s'ajoutent progressivement des vicaires, des communautés religieuses enseignantes et des associations diocésaines qui encadrent les pratiques religieuses et les services à la population locale. L'Église devient la seule institution locale qui investit dans des édifices ou des bâtiments à vocation communautaire, que ce soit l'église paroissiale qu'il faut parfois agrandir ou remplacer et constamment entretenir, ou le presbytère, le cimetière, le couvent ou le collège. Les paroissiens, sous la direction éclairée des élites locales représentées par les marguilliers, financent ces constructions à même leurs faibles ressources par des contributions spéciales et régulières (dîmes et quêtes), tant en argent qu'en nature, en services ou en terrains pour les constructions.

L'encadrement religieux de la population rurale s'accroît avec les ressources et devient une responsabilité déléguée par le diocèse aux curés. La pratique religieuse prend de l'expansion, tant du côté des messes dominicales et spéciales que des sacrements et les curés font rapport aux autorités diocésaines de leurs progrès et des résultats des visites paroissiales annuelles. Tous les paroissiens sont suivis de près, les grandes familles sont

Presbytère de la paroisse de Sainte-Famille vers 1890
(*Le Monde illustré*, le 31 janvier 1891, photo G. Belleau)

encouragées, les non-catholiques sont repérés et les émigrants, comptabilisés. De multiples confréries viennent appuyer par leurs membres l'action des curés, que ce soit celles du scapulaire, du Saint-Cœur-de-Marie ou du Saint-Rosaire, les Dames de Sainte-Anne, les Enfants de Marie, le Tiers-Ordre de Saint-François-d'Assise et plusieurs autres. Le curé assure une certaine stabilité aux rênes de la paroisse, les mandats de plus de dix ans abondent et certains se prolongent sur deux et même trois décennies, comme celui du curé Louis-Joseph Gagnon à Sainte-Famille (1877-1909).

L'action du curé s'étend aussi aux questions temporelles à portée religieuse, surtout dans l'éducation. Les écoles de rang et les commissions scolaires catholiques déjà en place fournissent les bases de l'instruction élémentaire, qui, pour s'étendre au niveau supérieur du primaire et au secondaire, doit être centralisée dans le village et se pourvoir en ressources enseignantes formées. Le curé et l'évêque font appel aux communautés religieuses féminines et parfois masculines pour prendre en charge le couvent mixte et parfois un collège pour les garçons. Pendant la période, le nombre d'écoles de rang (2 ou 3 par paroisse) augmente très peu, faute d'expansion de l'occupation dans de nouveaux rangs, si ce n'est dans les nouvelles paroisses de Sainte-Brigitte-de-Laval, Saint-Ferréol ou Saint-Tite-des-Caps encore en croissance.

La venue des communautés religieuses dans un couvent ou un collège permet de sortir du modèle de l'école de rang logée dans une maison isolée dans un rang avec une seule institutrice, et parfois une deuxième. Déjà, les religieuses de la Congrégation Notre-Dame étaient présentes à leur couvent de Sainte-Famille depuis le Régime français. Bientôt d'autres communautés s'implantent dans des couvents, des pensionnats-externats ou de simples écoles de village : d'abord, les sœurs du Bon-Pasteur de Québec s'établissent à Château-Richer en 1870 et à Saint-Laurent en 1875, de même que les sœurs de la Charité de Québec à Sainte-Anne-de-Beaupré en 1872, puis, au tournant du XXe siècle, à la faveur de l'augmentation importante du nombre de communautés religieuses québécoises et françaises immigrées, s'ajoutent les sœurs de Notre-Dame du Saint-Rosaire (de Rimouski) dans les écoles paroissiales de Sainte-Anne-de-Beaupré (1893), les sœurs de Notre-Dame-du-Perpétuel-Secours (de Saint-Damien) à Château-Richer (1903), à Saint-Joachim (1904) et à L'Ange-Gardien (1908) et les sœurs Servantes de Saint-Cœur-de-Marie (France) à Saint-Jean (1903).

L'arrivée d'une communauté religieuse résulte de négociations, entre les autorités religieuses diocésaines et paroissiales, la communauté pressentie et la commission scolaire paroissiale, qui se concluent par un contrat d'engagement. Le cas de Château-Richer illustre bien de quelle façon l'ancien couvent du Régime français détruit lors de la Conquête a été reconstruit tant bien que mal dans les années 1830 pour servir d'école du village. En mauvais état, l'école ne parvient pas à attirer de communauté enseignante et la paroisse ne peut participer financièrement, dans les années 1860, au moment où elle reconstruit l'église et la sacristie (1866). En 1870, la fabrique de Château-Richer et les commissaires d'écoles conviennent de convertir la vieille école en couvent pour les sœurs du Bon-Pasteur qui acceptent de la prendre en charge moyennant des réparations et des ajouts importants. L'engagement par contrat est renouvelé en 1880 à la condition que des réparations importantes soient faites. En 1890, le couvent est dans un tel état de délabrement et d'insalubrité qu'il menace la santé des religieuses et des élèves et a vraisemblablement contribué au décès de plusieurs religieuses. Comme la commission scolaire et les contribuables ne peuvent répondre aux demandes de la communauté, les religieuses quittent le couvent en juillet 1890. Faute de pouvoir convaincre une autre communauté, comme les sœurs du Saint-Rosaire de Rimouski en 1894, des institutrices laïques assurent plusieurs classes pour les jeunes filles et ce n'est qu'en 1903 que les sœurs de Notre-Dame du Perpétuel-Secours acceptent le mandat. Cette fois, la commission scolaire entreprend les démarches pour construire un nouveau couvent servant aux filles et aux garçons. La construction sera terminée en 1907.

Établies à Sainte-Anne-de-Beaupré depuis 1872, les sœurs de la Charité de Québec quittent, en 1894, leur vaste couvent, utilisé aussi durant l'été comme hospice pour les pèlerines, en raison de leur nouvel engagement dans l'asile de Beauport où elles doivent consolider leurs ressources. Les sœurs Franciscaines missionnaires de Marie prennent la relève aussitôt pour les services d'hôtellerie et d'hospice, alors qu'à compter de 1893 les sœurs de Notre-Dame du Saint-Rosaire (de Rimouski) assurent l'enseignement dans les écoles paroissiales. Avec la présence des Rédemptoristes (1878) titulaires de la paroisse et du pèlerinage, qui ajoutent un juvénat en 1896, des Rédemptoristines (1905) et des milliers de pèlerins, Sainte-Anne-de-Beaupré devient, l'été surtout, un haut lieu de la ferveur religieuse qui anime de plus en plus le Québec de l'époque.

La société rurale se complexifie et les nouvelles institutions démocratiques ouvrent les voies du pouvoir à de nouvelles élites locales. Alors que les familles seigneuriales perdent une partie de leur prééminence avec l'abolition du régime en 1854, plusieurs conservent longtemps une place spéciale dans la société paroissiale, surtout celles qui y résident. À la faveur de l'implantation des institutions municipales et scolaires, des marchands, des agriculteurs aisés et des professionnels comme les notaires accèdent aux fonctions électives de conseiller, de maire, de commissaire d'école, de président de la commission scolaire ou de secrétaire-trésorier. Ils cumulent parfois plusieurs d'entre elles, sans oublier les fonctions non électives de marguilliers. Les liens familiaux jouent fréquemment à l'échelle locale et les fonctions électives se transmettent parfois de générations en générations.

La politique locale ne mène pas nécessairement à la politique provinciale et fédérale, même rarement dans la mesure où le comté de Montmorency se situe dans l'orbite de Québec. Les partis politiques nationaux se répartissent souvent les comtés ruraux des environs de la capitale au bénéfice d'avocats de la ville, dont la plupart font partie des cabinets provinciaux et fédéraux. À l'Assemblée législative, des avocats ou des journalistes comme les conservateurs Auguste-Réal Angers (1874-1878), Louis-Georges Desjardins (1881-1890) et Thomas Chase Casgrain (1892-1896) et les libéraux Charles Langelier (1878-1881 et 1890-1892) et Louis-Alexandre Taschereau (1900 à

1936) représentent le comté à l'Assemblée et souvent au conseil des ministres. Certains d'eux font également carrière à la Chambre des communes, tels les conservateurs Angers en 1880 et Casgrain (1896-1904) et le libéral Langelier (1887-1890), alors que d'autres incluent Montmorency (plus vaste au fédéral) dans leur cheminement de carrière comme les libéraux Joseph-Israël Tarte (1891-1892) et Georges Parent (1904-1911). Certains députés sont nés dans la région et font carrière pour la plupart à Québec, tels, au provincial, l'avocat Édouard Bouffard, fils d'un pilote de Saint-Laurent (1896-1900) et, au fédéral, l'avocat et professeur Jean Langlois (1867-1878) de Saint-Laurent, le constructeur de navires de Québec Pierre-Vincent Valin né à Château-Richer (1878-1880 et 1880-1887) et le marchand Arthur-Joseph Turcotte originaire de Saint-Jean (1892-1896). Souvent, la région dispose d'entrées au cabinet et voit passer des députés situés au cœur des débats et des conflits électoraux les plus virulents, tel le bref mandat de Tarte en 1891 et 1892.

Des paysages découverts par les artistes

Tout comme dans les périodes antérieures, les manifestations de l'art religieux impliquent de nouveaux artistes actifs à Québec et dans les environs. La décoration d'église, tout particulièrement à Sainte-Anne-de-Beaupré, attire le peintre Paul-Gaston Masselotte (1840-1895), d'origine française, et le sculpteur d'ornementation et de statuaire en plâtre Michaeli (Michel) Rigali, d'origine toscane, dès les années 1870. Rigali

Louis Jobin (1845-1928), sculpteur sur bois à Sainte-Anne-de-Beaupré (Bibliothèque et Archives nationales du Québec, P27, P1)

avait participé également à la décoration des églises de Saint-Jean et de Saint-Laurent, dans les années 1880. Les Rigali, le père et son fils Jean, poursuivent une carrière active jusque dans les années 1910. Un concurrent originaire de Portneuf, Louis Jobin (1845-1928), s'en tient à la sculpture sur bois et, de son atelier du faubourg Saint-Jean, dessert, à compter des années 1870, Québec et la région, surtout dans le statuaire religieux. Au milieu des années 1890, il déplace son atelier à Sainte-Anne-de-Beaupré au moment où le lieu de pèlerinage, rejoint par chemin de fer depuis 1889, prend une forte expansion et où la construction étend le marché pour la décoration d'édifices religieux. Un autre sculpteur sur bois, Jean-Baptiste Côté de Québec, travaille surtout au départ dans la sculpture navale et commerciale, puis se réoriente vers le religieux et réalise un ensemble décoratif significatif dans l'église de Sainte-Famille.

À Sainte-Anne-de-Beaupré se retrouvent également, en 1895, de très grandes œuvres picturales, réalisées au cours des années 1880 dans un atelier de Chicago, celui de Paul Philippoteaux, par un groupe d'artistes américains et européens renommés. Ces œuvres forment un vaste tableau original circulaire, de 14 mètres de haut et de 100 de circonférence représentant la ville de Jérusalem au moment de la crucifixion du Christ, devant être logé dans un vaste édifice circulaire. Par des effets optiques d'éclairage (la technique du trompe-l'œil), l'ensemble crée des effets saisissants et s'inscrit dans un courant international de panoramas en peinture de grande taille. Le thème avait intéressé un promoteur américain de ce type d'expositions, Ernest Pierpont, et ce dernier avait obtenu l'aide d'un artiste allemand, Bruno Pighlein, qui en avait déjà réalisé un sur le même sujet. Ce Cyclorama de Jérusalem se retrouve à Montréal en 1889, puis, à la suite de problèmes de contrat avec les propriétaires du terrain, les sœurs de la Charité de l'Hôpital général de Montréal, il est déménagé à Sainte-Anne-de-Beaupré, en 1895, par ses nouveaux propriétaires pour faire partie des attractions destinées aux pèlerins et aux touristes.

Par ailleurs, les paysages ruraux traditionnels de la Côte-de-Beaupré et de l'île d'Orléans commencent, dans les années

1870, à attirer des artistes anglophones qui viennent y puiser l'inspiration de scènes champêtres. L'ontarien Horatio Walker, âgé d'à peine 12 ans en 1870, visite une première fois l'île d'Orléans et y revient les deux années suivantes. Au début de sa formation artistique, vers 1877, il visite l'île en profondeur. Dans les années 1880, il installe un atelier à Québec, ouvert 7 à 8 mois par année, d'où il rayonne dans la région, notamment sur la Côte-de-Beaupré à Château-Richer. Sa carrière est lancée à New York au milieu des années 1880 et ses œuvres connaissent une renommée grandissante. Dans la lignée de l'école de Barbizon et des écoles hollandaises et belges, il privilégie les scènes pastorales comprenant des animaux de ferme et des paysages ruraux. Après plusieurs voyages, dont un séjour à Londres au début des années 1900, Walker s'installe dans son propre studio à Sainte-Pétronille, en 1909, où il pouvait peindre dans le calme et recevoir occasionnellement ses relations artistiques au centre de ses lieux d'inspiration.

Walker n'est pas seul à venir faire des séjours artistiques annuels dans la région. D'autres, dans les années 1890 surtout, viennent profiter d'un mode de vie traditionnel qui commence à s'estomper dans le monde rural de la région avec les progrès de l'agriculture. Ils viennent surtout l'été, mais certains peignent aussi des scènes d'hiver. Edmund Morris (1871-1913), James Wilson Morrice (1865-1924), William Brymner (1855-1925) et Maurice Cullen (1866-1934) font partie de ce groupe qui fait connaître et apprécier les beautés de la région. Les visites diminuent par la suite, peut-être à cause de la modernisation des sites ou des nouveaux courants artistiques qui émergent en peinture et qui sont moins intéressés par ces thèmes.

Horatio Walker, peintre (1858-1938)
(Bibliothèque et Archives nationales du Québec, Centre d'archives de Québec)

6

À l'âge de l'industrie et de l'automobile, 1910-1950

Dans une région presque complètement rurale et desservie par un chemin de fer et des chemins de campagne à peine carrossables, l'arrivée de la grande industrie et de l'automobile introduit des éléments de modernité qui remettent en question la tranquillité et le mode de vie traditionnel des habitants.

Exploitation forestière et usine de pâtes et papiers

Au moment où l'exploitation du bois à pâte pour l'exportation décline en raison des obstacles imposés par le gouvernement provincial, à partir de 1910, aux bois coupés sur les terres de la Couronne, la Bayless Pulp and Paper exploiterait déjà, selon les rares informations sur ses activités, une scierie à l'embouchure de la rivière Sainte-Anne, acquise vers 1905 d'un O.W. Ordway, en vue de préparer le bois à pâte pour l'exportation. Elle tire la ressource ligneuse de ses concessions forestières,

situées plus au nord-ouest dans Stoneham et Tewkesbury et dans le bassin de la rivière Sainte-Anne, qu'elle conserve jusqu'en 1918, au moment où elle s'en départit aux mains de la Ste. Anne Power Co. Cette entreprise, en plus de s'engager dans la production hydroélectrique, est active dans l'exportation de bois à pâte et possiblement de pâte de bois. Elle se trouve absorbée par la Spanish River Pulp and Paper Mills et, en 1926, elle fait partie de la création de la Ste. Anne Paper Co. avec la participation des frères Donohue. Une grand usine de pâtes et de papier journal est construite par la nouvelle entreprise qui commence à produire, en 1927, au moyen de deux machines d'une capacité de 250 tonnes par jour. Au début de 1928, la Ste. Anne Paper Co passe aux mains du plus grand producteur mondial de papier journal de l'époque, l'Abitibi Power and Paper Co.

L'usine et le village de Beaupré vers 1928
(Bibliothèque et Archives nationales du Québec, Centre d'archives de Québec, Compagnie aérienne franco-canadienne)

Cette usine fait partie d'un vaste mouvement d'implantations d'usines de papier journal entamé pendant les années 1910, dans les principaux bassins de rivières de la région, à Donnacona pour la Jacques-Cartier à partir de 1914, et à Québec pour la Montmorency par l'Anglo-Canadian Pulp and Paper Mills, en 1927. La Grande Dépression des années 1930 frappe durement une industrie déjà en surcapacité de production depuis quelques années, de sorte que l'usine de Beaupré doit fermer ses portes en 1931 et l'Abitibi elle-même devient insolvable l'année suivante. Lors de sa réorganisation, le siège social conserve la Ste. Anne Paper et la redémarre en 1937. Progressivement, les prix et la production reprennent à la fin des années 1930 et pendant la Deuxième Guerre mondiale et s'accélèrent au point où la capacité de production annuelle dépasse 100 000 tonnes en 1947. L'entreprise emploie d'ailleurs plus de 300 travailleurs au début des années 1950.

Même si l'usine de Beaupré est la seule de la région, une partie des concessions forestières au nord des terres du Séminaire se situent dans le bassin hydrographique de la rivière Montmorency. Déjà, en 1915, l'Oxford Paper Co acquiert les concessions Montmorency n° 1 et 2, de même que les Des Neiges 1, 2 et 3 de la Rumford Lumber Co et les revend en 1926 à l'Anglo-Canadian Pulp and Paper qui s'installe alors à Québec. Cette papetière effectue, à partir de cette époque, des coupes forestières importantes et du flottage du bois à pâte pour approvisionner son usine.

Sans avoir l'envergure de l'usine de Beaupré, d'autres industries dérivées du bois sont actives dans la région, des années 1910 aux années 1950. À Château-Richer, une production de pâte de bois se produirait chez L.-S. Roberge au début des années 1920, la manufacture de panneaux de fibres de bois existe dans les années 1920 et au début des années 1930 à la Barry Fibre Co et, au début des années 1920, Louis-E. Richard de Québec y fabrique du carton. Plusieurs scieries poursuivent leurs activités à Château-Richer, particulièrement dans le secteur de Saint-Achillée sur les terres du Séminaire de Québec. On y retrace les scieries des Samuel Tremblay, G. Lachance & Co (produisant également du bois à pâte), Joseph Cauchon, Alcide Lefrançois dans les années 1910. Cette dernière et celle de C.-L. Cauchon poursuivent leurs activités dans les années 1920 et 1930 et Lefrançois exploiterait également un moulin à scie et à carder à la rivière aux Chiens, à Sainte-Anne-de-Beaupré. D'autres scieries se retrouvent à L'Ange-Gardien (Charles Tremblay), à

En haut, camp de bûcherons de l'Anglo-Canadian Pulp and Paper au lac des Neiges, 1936
(Bibliothèque et Archives nationales du Québec, Centre d'archives de Québec, photo Paul-E. Lambert, contenant n° 7, Montmorency limits 17.15 P873,S44,P31)
En bas, camp forestier du lac des Neiges de l'Anglo-Canadian Pulp and Paper : bâtiments des mesureurs et du gérant et entrepôt de victuailles 1936
(Bibliothèque et Archives nationales du Québec, Centre d'archives de Québec, photo Paul-E. Lambert, contenant n° 7, Montmorency limits P873,S44,P33)

Sainte-Brigitte-de-Laval (Arthur Vallière dans les années 1930), à Beaupré (Louis Gagnon dans les années 1930), à Saint-Tite-des-Caps (David et Odilon Morency, Christophe Racine, Télesphore Duclos et Joseph Asselin), à Saint-Ferréol (Louis-A. Gagnon dans les années 1910 et 1920) et à Saint-Joachim (Joseph Côté et Amédée Côté et frère) et, sur l'île d'Orléans, à Saint-Laurent celles de J.-E. Gosselin et Hector Coulombe jusqu'au milieu des années 1920 et d'Albert Vaillancourt, à la fin des années 1920 et au début des années 1930, à Saint-Pierre (la Société de scierie, Joseph Plante et Gérard Côté), à Saint-François (Napoléon Gagnon et Xavier Lepage) et à Saint-Jean (Joseph Boissonneault, Cléophas Simard et Denis Roberge). Plusieurs fabricants de portes et fenêtres s'ajoutent à Saint-Tite-des-Caps (Joseph Paradis) dès les années 1910 et surtout, dans les années 1930, à Saint-Joachim (Omer Saillant), à Beaupré (J. Camille Darveau) et à Saint-Laurent (la Scierie Albert Vaillancourt).

Chantier Fillion à Saint-Laurent, île d'Orléans
(Musée des sciences et de la technologie du Canada, coll. CN, X20813)

L'industrie de la construction navale de grandes chaloupes et de goélettes à fond plat ou à quille se maintient à Saint-Laurent, dans le marché du cabotage local et régional. Plusieurs des nouvelles goélettes de cette période sont équipées de moteurs à essence. Trois chantiers de Saint-Laurent se partagent la production, le Chantier maritime de Saint-Laurent (Ovide Fillion et sa famille), François-Xavier Lachance et Hector Coulombe et ses trois fils. Les chantiers sont actifs et leur production alimente le cabotage, tout particulièrement celui entre l'île et les marchés de Québec, que Coulombe capte avec le *H.C. Marchand* et, à compter de 1931, avec le *Saint-Laurent Trader*, pour le transport à la fois des produits agricoles et des passagers toujours plus nombreux. Le chantier des Fillion domine généralement par l'importance des bâtiments et le nombre de travailleurs qui atteint la centaine, tout en réalisant des travaux de réparations et de modernisation de navires en service.

Quelques autres implantations industrielles amorcent une transformation de la Côte-de-Beaupré. Parmi celles-ci, la Brique Citadelle s'installe vers 1913, à proximité de la chute Montmorency, dans la partie ouest de la municipalité de L'Ange-Gardien, et entraîne l'arrivée de travailleurs qui s'installent à proximité.

L'automobile fait son entrée : des routes et un pont

Jusqu'à l'arrivée des premières automobiles, le chemin de fer règne en maître sur les communications entre la Côte-de-Beaupré et Québec en conjonction avec la voie maritime utilisée depuis le début de la colonie et les chemins de terre qui traversent la Côte-de-Beaupré et ceinturent l'île d'Orléans, en plus de rejoindre tous les habitants de l'arrière-pays. Les administrations municipales, la Commission des chemins à barrières de la Rive-Nord (CCBRN) et les habitants sur les terres desquels passent les chemins n'ont pas les ressources pour construire et entretenir des routes permettant la circulation des nouveaux véhicules automobiles qui se répandent dans les années 1910 et encore plus dans les années 1920.

Dans la suite d'une commission d'enquête de 1910 sur l'abolition des péages sur les chemins et les ponts qui étaient imposés aux automobilistes, le gouvernement provincial adopte en 1912 une politique des bons chemins qui prévoit la

construction de routes nationales et un régime de subvention aux municipalités pour la moitié des intérêts et les remboursements du capital d'emprunts contractés pour la construction et l'amélioration des routes (macadamisage, empierrement et gravelage). La CCBRN est abolie et ses chemins sont transférés aux municipalités. Un ministère de la Voirie assume maintenant les nouvelles responsabilités du gouvernement provincial. Même le gouvernement fédéral instaure un programme de subventions aux routes nationales dans les années 1920 et à la route transcanadienne dans la décennie suivante, en plus de financer des travaux de lutte au chômage pendant la Grande Dépression dépensés par la province. Alors que les automobilistes étaient réduits à entreposer leur véhicule pendant la saison hivernale, le ministère de la Voirie entreprend à la fin des années 1920 et surtout pendant les années 1930 l'entretien des chemins pendant l'hiver, mais il faudra attendre les années 1940 avant que les routes soient ainsi ouvertes à l'année. Les actions du ministère de la Voirie évitent aux municipalités d'avoir à s'équiper du matériel de construction et d'entretien des routes et assurent une meilleure coordination du réseau routier régional et intermunicipal.

Sur la Côte-de-Beaupré, la disparition de la CCBRN libère les habitants des contraintes des péages vers Québec et ouvre la voie à la circulation des automobiles sur la route qui portera le

Le traversier Île d'Orléans *près du quai de Sainte-Pétronille, en 1927*
(Bibliothèque et Archives nationales du Québec,
Centre d'archives de Québec, P600, S6,D2,P730)

numéro 15 (les 138 ou 360 actuelles) en direction de Sainte-Anne-de-Beaupré et de Charlevoix. Les véhicules peuvent y circuler en grand nombre comme le démontrent des relevés de circulation des années 1920. En 1920, un véhicule sur deux est une automobile (total de 550 en une semaine) et l'autre est à traction animale. En 1924, dans la première semaine de septembre, on dénombre 862 automobiles, dont 157 viennent des États-Unis (18,2 %), et il ne reste que 307 véhicules à traction animale (22,8 %). En 1929, dans la première semaine d'août, il passe sur la même route 1 525 automobiles, dont 500 (32,8 %) en provenance des États-Unis et 66 des autres provinces. Il ne se trouve plus que 122 véhicules à traction animale. Le nombre de camions augmente également, passant de 77 en 1923 à environ 250 en 1929. À ce moment, la circulation devient si intense sur une route toute en virages sur les hauteurs et le long du plateau conduisant à Sainte-Anne-de-Beaupré que plusieurs commencent à envisager la nécessité de construire une voie plus directe parallèle à la voie ferrée. Ce projet de route « nationale » n'est pas sans inquiéter les agriculteurs, qui verraient leurs terres traversées une fois de plus, et les villageois et les habitants du vieux chemin qui contribuent par leurs maisons et les édifices anciens à l'intérêt de la Côte-de-Beaupré pour les touristes.

Le projet tarde à se développer et démarre au début des années 1940, d'abord par les travaux de terrassement et de gravelage entre Château-Richer et Sainte-Anne-de-Beaupré, une section qui est ouverte à la fin de la Deuxième Guerre mondiale, et, ensuite, par le terrassement entre Château-Richer et Boischatel, dont la poursuite vers l'ouest affronte la difficile traversée de l'embouchure de la rivière Montmorency en bas de la chute. Finalement, entre 1951 et 1953, cette dernière partie est complétée et le boulevard Sainte-Anne dégage dorénavant la vieille route de la circulation de transit depuis Québec vers l'île d'Orléans et Charlevoix.

Pour leur part, les routes de l'île n'ont pas à subir une telle pression des véhicules automobiles. Ceux-ci peuvent arriver et repartir par les traversiers et ceux des résidents peuvent circuler sur le chemin de ceinture, sauf l'hiver. Dans plusieurs municipalités (à Saint-Laurent par exemple en 1920), l'attrait des subventions du ministère de la Voirie convainc les contribuables à accepter d'être taxés pour l'amélioration des routes, notamment la route des Prêtres. Il fallait que les municipalités de l'île s'entendent pour faire graveler la voie rurale du tour de l'île afin d'élever son statut pour que le ministère de la Voirie puisse en faire une route régionale et faire bénéficier les habitants de l'île de ses contributions à l'entretien et au financement des améliorations. Les résistances de Saint-François au gravelage soulèvent l'ire de Saint-Laurent en 1925 et des autres municipalités et incitent ces dernières à entreprendre des pressions à cet effet.

Avec le développement de la villégiature, de l'industrie touristique et de l'entretien d'hiver des routes, l'intérêt pour un pont reliant l'île à la Côte-de-Beaupré prend de l'ampleur. Il y a bien eu, en 1922, deux requêtes pour la construction d'un pont de la part des habitants de l'île, mais elles sont restées lettres

Pont de l'île d'Orléans, vue aérienne, en 1938
(Bibliothèque et Archives nationales du Québec, Centre d'archives de Québec, P600,S6,D2,P227)

mortes. Finalement, dans un contexte électoral favorable, dans le comté du premier ministre Louis-Alexandre Taschereau et grâce aux projets de travaux de lutte au chômage, la construction se réalise, en 1934-1935, 13 ans après les premières requêtes. Le nouveau pont peut accueillir ainsi la circulation automobile sur une grande échelle, ce qui fait craindre aux élites, préoccupées de conservation du caractère patrimonial de l'île, l'envahissement par le développement économique, touristique et résidentiel moderne. Le débat, auquel participe Athanase David, Secrétaire provincial, incite le gouvernement à faire adopter, la même année que l'ouverture du pont en 1935, une loi novatrice qui vise à circonscrire la construction de l'infrastructure touristique (restaurants et hôtels) et automobile (postes à essence) et à interdire l'affichage publicitaire.

Dans la foulée de la construction du pont, la route de ceinture de l'île est élargie et pavée, en plus d'être entretenue toute l'année. De plus, il fallait améliorer la circulation vers la façade sud de l'île sans passer par le centre de Saint-Pierre et la route des Prêtres conduisant à Saint-Laurent. Une nouvelle route directe vers Saint-Laurent et Saint-Jean, qui poursuit vers le sud la route du pont de l'île, est construite dans la seconde moitié des années 1940 et reçoit le nom du député provincial de l'époque, Yves Prévost. On aurait pu croire que la mise en service du pont allait marquer la fin des ponts de glace. Il n'en est rien, car une mauvaise surprise attendait les usagers du pont : un péage. Le retard à organiser l'entretien des chemins durant l'hiver contribue aussi à la survivance, jusqu'au début des années 1950, des ponts de glace dont les municipalités financent toujours l'entretien.

Une agriculture à maturité

Toujours dominante dans l'économie de la majorité de la population, l'agriculture de la Côte-de-Beaupré et de l'île d'Orléans atteint sa maturité dans les années 1910 à 1950. L'espace occupé par les fermes atteint son maximum dans les années 1920 et 1930, à 51 000 ha dans le premier cas et 21 000 ha dans le second, et commence à décliner par la suite. La baisse

est surtout importante sur la Côte-de-Beaupré puisqu'elle compte à peine 34 500 ha en 1951, alors que sur l'île elle se situe la même année à 17 800 ha. La superficie en culture décroît également, passant d'un maximum de 9 800 ha, en 1931, pour la Côte-de-Beaupré à 6 670 ha, en 1951, alors qu'elle diminue très peu sur l'île d'Orléans : de 7 000 ha, en 1921 et 1931, à 6 800 ha, en 1951. La taille moyenne des fermes suit une tendance comparable, à un niveau de 80 ha sur la côte et de 61 ha sur l'île, en diminution à 57,5 et 46 ha respectivement. La superficie moyenne en culture se situe à 15 ha et 20 ha, dans les années 1920, et baisse à 11 ha et à 17,5 ha en 1951. Le nombre de fermes reste relativement stable, tant sur la Côte-de-Beaupré à environ 650, que sur l'île d'Orléans (350 à 400), mais amorce une baisse dans les années 1940.

Le virage de la région vers la polyculture-élevage au siècle précédent marque les activités de culture et d'élevage essentiellement pour les besoins de la production laitière. La culture du foin et de l'avoine occupe encore une très forte proportion des

Ferme traditionnelle sur l'île d'Orléans, années 1930
(Musée des sciences et de la technologie du Canada, coll. CN, X20796)

superficies et le cheptel laitier s'accroît, jusque dans les années 1940, à plus de 4 000 vaches laitières sur la Côte-de-Beaupré où il commence à diminuer par la suite, alors que, dans les années 1930, il est toujours en croissance à plus 3 000 sur l'île d'Orléans, en route vers les 3 400 pendant la décennie 1950-1960. Au début de la période, une bonne partie de la production laitière est vendue localement dans la paroisse sous forme de lait nature ou transformée en beurre à la ferme. Le marché se transforme cependant et les produits laitiers se retrouvent dans les beurreries locales, certaines à forme coopérative, sur l'île d'Orléans, dans les sociétés de fabrication de beurre des paroisses de Saint-Pierre, Saint-François, Saint-Jean et Sainte-Famille et sur la Côte-de-Beaupré au Syndicat de beurrerie de Château-Richer. Quelques autres beurreries, privées cette fois, desservent Sainte-Anne-de-Beaupré (la laiterie d'Elzéar Fortier, jusque dans les années 1910), L'Ange-Gardien (Joseph Lortie, jusque dans les premières années de la décennie 1920-1930), Saint-Tite-des-Caps (Omer et Ludger Duclos), Saint-Ferréol (J.-A. Dupuis) et Saint-Joachim (Alfred Fortin). Pour leur part, les fromageries locales disparaissent dans les années 1920.

De nouveaux concurrents sont actifs dans les grands centres et, pour la Côte-de-Beaupré et l'île d'Orléans, les grandes laiteries de Québec (Brookside, Frontenac et Laval) viennent s'approvisionner sur les fermes de la grande région de Québec, dont certaines de la Côte-de-Beaupré. Il est connu, par exemple, que vers 1945 la laiterie Laval tire environ 20 % de son lait de Saint-Joachim, notamment des fermes du Séminaire de Québec. Ces laiteries fortement mécanisées viennent concurrencer les beurreries locales et les agriculteurs des environs qui livraient encore leur lait à la ville. Le marché urbain est surveillé plus étroitement et la ville fait des inspections chez les producteurs pour s'assurer de la qualité des produits. L'heure est aussi à la pasteurisation. Elle se répand dans les établissements de transformation du lait, notamment dans la douzaine de beurreries locales du comté de Montmorency, dès la première moitié des années 1920, et devient dominante au milieu des années 1930.

Les agriculteurs tirent la plus grande partie de leurs revenus des cultures et du cheptel bovin et des produits dérivés de son élevage. Les apports d'autres produits restent limités et proviennent des produits forestiers (bois de chauffage, bois de sciage et bois à pâte), surtout sur la Côte-de-Beaupré, des produits de l'érable sur l'île d'Orléans et des légumes vendus sur les marchés de Québec. La pomme de terre est présente dans la plupart des localités où les sols sont propices, mais plus intensément sur l'île d'Orléans, principalement à Saint-Jean. Elle répond à une demande d'autosubsistance et probablement, lors des années des meilleures récoltes, d'écoulement sur les marchés. Finalement, la culture des fraises et des framboises pour les marchés se répand sur l'île d'Orléans, depuis au moins les années 1920.

Les ressources à la disposition des agriculteurs prennent de l'ampleur. En plus des cercles agricoles de paroisse et des sociétés d'agriculture de comté, des agronomes de comté formés à l'École d'agriculture d'Oka appuient l'action gouvernementale localement. Un premier, Alexandre Roy, s'établit à L'Ange-

Champs de fraises, île d'Orléans, années 1930
(Bibliothèque et Archives nationales du Québec,
Centre d'archives de Québec, P547,S1,SS1,SSS1,P579,P1)

Gardien pour le comté de Montmorency vers 1913. Pendant 20 ans, de 1920 à 1940, le gouvernement fédéral loue une grande ferme du Séminaire de Québec à Saint-Joachim pour un projet de génétique animale et d'alimentation expérimentale. Par ailleurs, contrairement à d'autres régions du Québec, les coopératives locales ne semblent pas avoir trouvé un terreau fertile dans la région, même si plusieurs beurreries paroissiales adoptent une formule comparable.

Population et institutions locales : des villages en formation

L'évolution de la population de la Côte-de-Beaupré et de l'île d'Orléans découle des conditions économiques qui prévalent, tant ses nouveaux développements industriels que la stabilité de ses vocations traditionnelles. Le portrait d'ensemble (tableau 6.1) indique une reprise de la croissance de la population au début du siècle sur la Côte-de-Beaupré d'à peine 1 000 habitants ou 100 par année en moyenne pour les décennies 1900, 1910 et 1930 et plus significative de 2 700 environ ou 270 par année dans les décennies 1920 et 1940. Un conjoncture économique plus favorable dans ces deux décennies explique sans doute cette meilleure performance. Sur l'île d'Orléans, le déclin de la population s'interrompt dans la décennie 1920 et une croissance faible renverse la tendance, très modestement à 250 pendant cette décennie, à 550 pour la suivante et à peine 56 pendant les années 1940. En quarante ans, la population totale de la région s'accroît de 8 174, dont 7 603 sur la Côte-de-Beaupré et 571 sur l'île d'Orléans. Cette hausse ne vient pas interrompre la tendance forte à long terme d'une migration nette négative (accroissement décennal moins le solde des naissances sur les décès), mais la réduit, sans nécessairement signifier que l'exode des jeunes de la région diminue, car de nombreux non-résidents s'établissent pour occuper les nouveaux emplois industriels.

Tableau 6.1

Population de la Côte-de-Beaupré et de l'île d'Orléans par municipalités,
1911-1951

	1911	1921	1931	1941	1951
Sainte-Brigitte-de-Laval	655	556	595	962	1 154
Boischatel		571	783	882	1 297
L'Ange-Gardien	1 447	1 167	1 332	1 421	1 758
Château-Richer	1 773	1 857	2 250	2 348	2 787
Sainte-Anne-de-Beaupré (paroisse)	2 381	962	1 035	959	1 080
Sainte-Anne-de-Beaupré (village)		1 648	1 901	1 783	1 827
Beaupré			1 233	1 501	2 015
Saint-Joachim	853	940	1 131	1 232	1 364
Saint-Ferréol-les-Neiges	1 136	1 348	1 328	1 655	1 998
Saint-Tite-des-Caps	1 192	1 411	1 401	1 566	1 678
Territoire non municipalisé			161		82
Côte-de-Beaupré	**9 437**	**10 460**	**13 150**	**14 309**	**17 040**
Sainte-Famille	618	719	710	772	816
Saint-François	481	414	473	517	526
Saint-Jean	940	812	836	990	886
Saint-Laurent	702	766	809	876	911
Saint-Pierre	560	555	597	696	818
Beaulieu/Sainte-Pétronille (village)	477	282	380	442	392
Île d'Orléans	**3 778**	**3 548**	**3 805**	**4 293**	**4 349**
Côte-de-Beaupré et île d'Orléans	*13 215*	*14 008*	*16 955*	*18 602*	*21 389*

Source : Marc Vallières et autres, *Histoire de Québec et de sa région*, Québec,
PUL, 2008, p. 1492 et p. 2118.

La population de la région conserve son caractère quasi
complètement francophone, à 98 % sur la Côte-de-Beaupré et
à 99 % sur l'île d'Orléans. Ce portrait est seulement mitigé, en
1941, par environ cent cinquante britanniques (Anglais et
Irlandais surtout) et une vingtaine d'autres origines, principalement des Scandinaves, à Beaupré, par les 28 Britanniques et

une douzaine d'autres origines à Sainte-Anne-de-Beaupré voisine et par une quarantaine de Britanniques, dont 32 Anglais, à Sainte-Pétronille, pour un grand total de 300 individus incluant les quelques autres dispersés. Parmi ces derniers, il reste quelque 25 Britanniques à Sainte-Brigitte-de-Laval, héritiers d'une contingent plus important remontant au début de l'établissement de la population d'origine et qui dépassait la centaine en 1911.

Une partie de la croissance de la population provient de l'implantation de nouvelles industries, surtout l'usine de pâtes et papiers ouverte en 1927 sur les territoires de Saint-Joachim et de Sainte-Anne-de-Beaupré, dans ce qui deviendra le village de Beaupré. Sa population s'accroît, passant de 1 233, en 1931, à 2 015, en 1951, avec probablement quelques retombées également sur la population à Saint-Joachim. Un autre noyau de population s'organise à proximité de la briqueterie près de la chute Montmorency et des villages de Montmorency et de Courville, à Boischatel, situé à l'est de la rivière sur le territoire de L'Ange-Gardien. En 1921, sa population atteint 571 et 1 297 en 1951.

De nouvelles municipalités

L'organisation municipale et paroissiale reflète ces mouvements, tout comme l'offre de services locaux attendus par une population qui est rejointe par une modernisation embryonnaire des transports et des communications. Ainsi, la communauté établie à la limite ouest de L'Ange-Gardien suit un cheminement semblable à celui de ses voisines de l'autre côté de la rivière, Montmorency érigée en village en 1902 et Courville organisée en paroisse en 1910 et en municipalité en 1916. La municipalité de village de Boischatel est créée en 1920, mais la paroisse de Sainte-Marguerite-Marie n'obtient son érection qu'en 1925.

Par ailleurs, la municipalité de paroisse de Sainte-Anne-de-Beaupré, qui avait fusionné avec le village en 1906, s'en séparait en 1920, rétablissant ainsi la situation la plus fréquente des relations entre municipalités de paroisse et municipalités de village à l'époque. Enfin, les rapides développements résidentiels autour de l'usine de la Ste. Anne Paper à l'embouchure de la rivière Sainte-Anne rendent rapidement nécessaire une nouvelle organisation paroissiale et municipale, une situation complexe et délicate impliquant les municipalités de Saint-Joachim et de Sainte-Anne-de-Beaupré, tout particulièrement la question des limites des territoires de la nouvelle municipalité, amputés des deux municipalités concernées. Le

premier ministre du Québec et député du comté, Louis-Alexandre Taschereau, était embarrassé par une situation potentiellement conflictuelle et trouve une solution élégante en s'entendant avec le cardinal Rouleau, évêque de Québec, pour que les limites de la paroisse soient précisées en une première étape, selon les critères religieux habituels. Ainsi, la paroisse de Notre-Dame-du-Saint-Rosaire-de-Beaupré est érigée en 1927 et la municipalité de Notre-Dame-du-Rosaire l'année suivante, comme c'est la pratique générale dans le cas des municipalités rurales. Son nom est rapidement changé la même année, en raison d'une homonymie, en celui de Beaupré.

De nouvelles responsabilités municipales

Si le niveau des revenus et des dépenses des municipalités de la Côte-de-Beaupré et de l'île d'Orléans en témoigne, leurs services à la population se limitent à la plus simple expression, soit l'entretien des chemins. Cette situation persiste encore pendant cette période dans les municipalités rurales de paroisse, alors qu'en moyenne elles dépensent à peine plus de 700 $ annuellement sur l'île d'Orléans, dans les années 1910, guère

Louis-Alexandre Taschereau (1867-1952), avocat, député de Montmorency (1900-1936) et premier ministre du Québec (1920-1935), vers 1930 (Bibliothèque et Archives nationales du Québec, Centre d'archives de Québec, Photo Montminy & cie)

plus dans les décennies suivantes. Sur la côte de Beaupré, ces dépenses se situent autour de 2 000 $ en moyenne. Dans les villages, le niveau des dépenses annuelles moyennes oscille, de 1910 à 1940, entre 4 000 $ et 7 000 $ sur l'île d'Orléans (à Sainte-Pétronille) et entre 8 000 $ et 20 000 $ sur la Côte-de-Beaupré (Sainte-Anne-de-Beaupré, Boischatel et Beaupré). Cet écart représente les services nouveaux offerts par les administrations des villages progressivement pendant cette période, soit en participant financièrement directement, soit en accordant des avantages fiscaux (exemptions de taxes foncières) à des entreprises privées. Il reflète aussi un financement par emprunts et les frais d'intérêt et d'amortissement du capital que la dette impose sur les finances municipales.

Les villages se dotent d'abord de services d'aqueduc, rompant ainsi avec l'approvisionnement privé par puits artésien ou par lac et cours d'eau, soit à Sainte-Anne-de-Beaupré par l'acquisition d'un réseau privé en 1907 et son amélioration subséquente, soit, à Beaupré, en établissant un nouveau réseau en 1930. Dans

Rue principale, hôtel et musée, Sainte-Anne-de-Beaupré, vers 1948-1952
(Musée des sciences et de la technologie du Canada, coll. CN, X25720)

le premier cas, ce sont des impératifs liés à la consommation domestique et à l'hygiène ainsi qu'à la protection efficace contre les incendies qui incitent la municipalité de village à acquérir et à étendre l'aqueduc privé de M. Joseph St-Hilaire. Les édifices des institutions religieuses et du pèlerinage, les maisons de chambres et les résidents sont desservis par ce service, moyennant une taxe foncière de 1/3 de 1 % pour payer les intérêts et l'amortissement de l'emprunt de 10 000 $ nécessaire à sa réalisation et une compensation payée par les propriétaires en fonction des installations utilisant l'eau. Dans le second cas, la construction d'un aqueduc terminé en 1930 suit de près l'érection municipale et inclut le service d'égouts, là aussi financé par des emprunts remboursés par des taxes. Le réseau sera étendu dans les années 1940 pour répondre aux besoins d'une distillerie implantée en 1944, d'une expansion de l'usine de l'Abitibi et de plusieurs résidents de Sainte-Anne-de-Beaupré. À part ces deux villages, aucune municipalité de la région ne parvient à se doter d'un aqueduc municipal. Toutefois on retrouve des tentatives à Boischatel, au début des années 1930, à partir de la rivière Ferrée et, à Château-Richer, plusieurs sociétés privées d'aqueduc existent avant les années 1930, alors que des efforts de la municipalité en 1931 et 1934 échouent, faute de financement. Un petit réseau privé de la famille Fillion avec réservoir et conduites aurait existé également à Saint-Jean à la fin du XIXe siècle.

En l'absence d'aqueducs municipaux, la protection contre les incendies reste minimale et laisse sans défense les victimes d'un incendie, à moins d'obtenir, comme Château-Richer en 1913, 1920, 1928 et 1934 lors de gros incendies, les services de pompiers et d'équipements de la ville de Québec. Leur participation évite une conflagration appréhendée au village en 1920. Dans les localités bénéficiant d'un service d'aqueduc (Sainte-Anne-de-Beaupré et Beaupré), le service de protection contre les incendies se développe en parallèle en s'équipant à Beaupré, en 1929, de boyaux, de lances à incendie, de clés pour les bornes-fontaines et d'une voiture à cheval avec des patins pour l'hiver. Il ajoute une échelle, en 1932, mais se révèle incapable, en 1934 en pleine dépression, de construire une caserne. Au moins une autre municipalité (Saint-Laurent) dispose d'une pompe à incendie en 1946, mais il lui manque une place pour l'entreposer à la chaleur. Moins coûteux, les règlements de prévention des incendies tentent de réduire les risques et il en existe à Sainte-Anne-de-Beaupré, adoptés en 1921 et en 1936.

La sécurité dans les municipalités rurales ne pose pas de défis particuliers qui ne peuvent être réglés par les élites locales, notamment religieuses. La situation à Sainte-Anne-de-Beaupré pose des problèmes quasi urbains, comme en fait foi le deuxième règlement passé par le conseil de la nouvelle municipalité de village en 1906, portant sur « la décence et les bonnes mœurs et l'institution d'une force de police ». La venue de centaines de milliers des pèlerins chaque année, souvent concentrée sur une courte période de temps, vient mettre en péril l'ordre public, non seulement par les jurements et le langage blasphématoire, mais aussi par « l'encombrement des trottoirs des débarcadaires [sic] ou gares de chemin de fer et d'autres places publiques par des solliciteurs qui rendent souvent la circulation dans les endroits publics impossibles [sic] ce qui nuit à la réputation de la municipalité [et] facilite souvent l'œuvre des détrousseurs ». Un corps de police d'un maximum de trois membres est prévu et doit faire respecter le règlement, notamment en limitant la mendicité aux personnes autorisées et en défendant le tapage et l'ivresse en public. En 1909, le secrétaire-trésorier est même autorisé par le conseil à s'entendre avec les Rédemptoristes pour établir un poste de police. Beaupré est la seule autre municipalité de la région qui se dote d'un quelconque service de police à cette époque. En 1933, elle engage un premier constable qui doit attendre deux ans avant sa première infraction signalée, celle d'avoir fait trotter les chevaux en traversant le pont Taschereau-Parent.

Parmi les autres services que les municipalités ajoutent pendant cette période, les trottoirs facilitent la circulation à pied au village, notamment en direction de l'église le dimanche, surtout pendant les périodes de l'année où les chemins sont boueux. Plusieurs exemples dans la région illustrent l'importance que revêt l'installation de trottoirs en bois ou en ciment. De

1906 à 1909, plusieurs trottoirs en bois sont construits à Château-Richer d'entre 0,6 à 1 m de large sur 1 km pour environ 500 $. En 1937, ils sont reconstruits en ciment sur la partie sud du chemin Royal. Saint-Laurent en 1913 en fait construire un en bois, Sainte-Pétronille lance des appels de soumissions en 1916 pour un trottoir en ciment de plus d'un mètre de large jusqu'au quai, mais choisit le bois par mesure d'économie en 1918. Sainte-Anne-de-Beaupré, par règlement en 1926, autorise la construction d'un trottoir en madriers d'épinette et de sapin posés sur des traverses en cèdre, d'à peine 50 cm de large, puis revient à la charge en 1945 pour le reconstruire en ciment ou en asphalte étant donné les frais élevés d'entretien de l'ancien trottoir en bois. Le poids du coût des trottoirs repose alors sur tous les propriétaires fonciers, ce qui explique qu'ils se retrouvent surtout dans les municipalités de villages.

Par ailleurs, plusieurs services privés requièrent l'accord des municipalités pour s'établir ; ce sont surtout l'électricité et le téléphone. Avant 1910, ils sont déjà présents à Sainte-Anne-de-Beaupré, puis ils se répandent dans les années suivantes sur la Côte-de-Beaupré, à un rythme difficile à préciser. Il y a bien des règlements municipaux autorisant diverses entreprises à installer des poteaux et un réseau de distribution d'électricité sur la voie publique, mais il est parfois difficile de savoir quand le service est effectivement disponible. La distribution de l'énergie électrique répond à un besoin d'éclairage des rues que désirent offrir les autorités municipales et de service d'éclairage et d'énergie pour les résidents. Malgré plusieurs tentatives, le raccordement des habitations ne serait pas encore réalisé à Château-Richer avant le milieu des années 1920. Sur l'île d'Orléans, la Compagnie électrique de Sainte-Anne-de-Beaupré tente en 1924 d'obtenir l'accord de plusieurs municipalités de l'île pour l'exclusivité de la livraison d'électricité sur une longue période, mais échoue chez plusieurs d'entre elles (Saint-Laurent et Sainte-Pétronille). Ce serait plutôt la Quebec Power qui aurait d'abord installé, en 1925, un câble souterrain entre la Côte-de-Beaupré et Saint-Pierre pour alimenter l'île et progressivement desservir les villages et les agriculteurs.

Ces activités font partie de la démarche d'expansion des services de distribution électrique dans la région qui avait commencé par la présence de la Quebec, Railway, Light, Heat and Power Co (QRLHP) et de ses prédécesseurs. L'entreprise exploitait un chemin de fer électrifié jusqu'à Sainte-Anne-de-Beaupré et tirait son électricité en grande partie de la centrale de la chute Montmorency. Avec l'expansion de ses besoins en électricité, elle cherche de nouvelles sources d'énergie et contribue, par un contrat d'approvisionnement à long terme de 10 000 kW, à la mise en valeur du site hydroélectrique des Sept-Chutes à Saint-Ferréol, commencée par la Stadacona Hydraulic Power (1911-1915) en 1912, poursuivie et menée à terme par la Laurentian Power Co. (1915-1928) en 1916. La QRLHP passe en 1923 sous le contrôle indirect de la Shawinigan Water & Power par l'entremise de sa filiale discrète formée la même année, la Québec Power Co, qui, en 1926, intègre la Laurentian Power.

La distribution d'électricité se concentre d'abord dans les villages et tarde à se concrétiser dans les zones aux clients dispersés, trop coûteux à desservir en tenant compte de leur consommation. La Québec Power soulève dans les milieux

Barrage des Sept-Chutes, Saint-Ferréol, 1919
(Bibliothèque et Archives nationales du Québec, Centre d'archives de Québec, E57,S44,SS1, PC1-63-2)

ruraux les mêmes frustrations que chez les consommateurs de la ville de Québec, à propos de ses tarifs très élevés. Le conseil de comté de Montmorency n° 1 (Côte-de-Beaupré) se plaint en 1935 que les réductions de tarifs de la Québec Power ne sont pas suffisantes étant donné la hausse de consommation occasionnée par les nouveaux appareils nécessitant plus d'énergie que l'éclairage, sur lequel est fondée la grille tarifaire. Des agriculteurs se plaignent également de ne pas pouvoir profiter des bienfaits de l'énergie électrique, tel un groupe d'une douzaine d'entre eux de Saint-Laurent en 1943 qui obtiennent l'appui du conseil municipal pour faire des pressions auprès des autorités gouvernementales provinciales. L'électrification rurale peut compter sur un programme d'aide du gouvernement de l'Union nationale de Maurice Duplessis dans la seconde moitié des années 1940. Au recensement de 1951, 81,5 % des fermes de la Côte-de-Beaupré disposent de l'énergie électrique, alors que sur l'île d'Orléans cette couverture atteint 89 %. L'opération sera complétée dans les quelques années suivantes avec des répercussions importantes sur l'accès en milieu rural aux appareils ménagers et électroniques et aux machines électriques reliées à l'agriculture.

En parallèle avec l'électricité et en concurrence avec les services postaux du gouvernement fédéral, les services de communication sur fil font leur entrée dans les villages de la région. Sur la Côte-de-Beaupré, le service de télégraphe associé au réseau ferroviaire du Québec, Montmorency et Charlevoix, ouvert en 1889, répond d'abord à la demande d'échange rapide de messages écrits, mais ne couvre pas l'île d'Orléans. La pénétration du téléphone commence doucement de la part de la compagnie Bell, au début du XXᵉ siècle, à Sainte-Anne-de-Beaupré où l'on retrouve ses poteaux au moins depuis 1904. La même compagnie établit à ce moment un premier service à Sainte-Pétronille où elle n'a que cinq abonnés deux ans plus tard, dont le curé, l'hôtel Château Bélair et des membres des élites de la villégiature, et étend une première ligne vers Sainte-Famille en 1907. Bell toutefois se départit de son service sur l'île, en 1911, lequel est alors pris en charge par le gouvernement fédéral (« Dominion

Telephone System ») avec une interconnexion au service interurbain de Bell. Cette dernière entreprise se concentre sur le service interurbain et sur les services aux grands centres les plus rentables, laissant le champ libre aux services de petites entreprises dans les villages ruraux, quitte à les acquérir au besoin.

À côté du Dominion Telephone System, démarre en 1911 une entreprise basée à Sainte-Famille, la compagnie de téléphone Québec-Orléans. Elle dessert aussi progressivement Saint-Jean, Saint-Laurent et Saint-Pierre et rend accessibles les communications téléphoniques aux élites de l'île. Sur la Côte-de-Beaupré, quelques entreprises et services locaux s'implantent, soit la Chateau Richer Telephone Co ou le réseau téléphonique Gravel qui n'inclut pas quinze abonnés dans les années 1910, mais qui atteint 29 en 1927 et 52 en 1944. Dans les années 1920, d'autres entreprises offrent des services téléphoniques aux localités de la région : la Ste Catherine, St. Bazile et St. Joachim Telephone Co., basée dans Portneuf, dessert Sainte-Anne-de-Beaupré, Saint-Joachim, Saint-Ferréol et Saint-Tite-des-Caps. À Sainte-Brigitte-de-Laval, le service est rendu par le Dominion Telephone System. Bell, pour sa part, intègre L'Ange-Gardien et Boischatel à son réseau de la ville de Québec. Ces réseaux locaux peuvent réduire leurs coûts en adoptant les lignes partagées et la téléphoniste locale qui gère les appels sur un panneau de branchement manuel. L'interconnexion dans le réseau de Bell relie le service local avec l'interurbain et éventuellement explique leur acquisition par Bell, en 1929, pour le réseau de l'île d'Orléans, qui sera reconstruit et centralisé à Sainte-Pétronille. Dans les années 1940, tous les services locaux sont intégrés par Bell. Les habitants de la région sont dorénavant en conversation directe entre eux et avec le monde urbain.

Reliées par la route et un pont donnant un accès rapide en toutes saisons aux véhicules automobiles, raccordées au réseau de distribution électrique permettant l'utilisation des appareils modernes, dont la radio, et branchées sur le téléphone pour communiquer de vive voix, les localités de la région entreprennent de sortir de leur isolement en adoptant les plus récentes technologies.

Société et culture

L'église paroissiale demeure le pôle social des localités de la région, et cela plus que jamais dans l'histoire de la Côte-de-Beaupré et de l'île d'Orléans. L'organisation religieuse de la paroisse continue à se développer et atteint le sommet de son pouvoir sur les fidèles catholiques formant la quasi-totalité des habitants. La pratique religieuse est incontestée et affecte toutes les personnes dans leur vie sociale, familiale, personnelle et même intime. Le curé peut compter sur des vicaires, sur une fabrique mieux financée, sur des associations plus nombreuses et couvrant un large éventail des pratiques, sur de nouveaux services socioculturels et sur des services éducatifs plus élaborés. Les nouvelles paroisses sont rares dans la région et résultent de l'ouverture de nouveaux villages à vocation industrielle et résidentielle : il s'agit d'abord de la paroisse Sainte-Marguerite-Marie de Boischatel, érigée en 1925, cinq ans après la création de la municipalité de village, et dotée, la même année, d'un curé logé l'année suivante dans un presbytère tout neuf. Les services religieux se déroulent à l'école paroissiale, en attendant la fin de la construction de l'église en 1938.

10 - St-JEAN, Île d'Orléans (Province de Québec)
Le Bureau de M. le Curé, Rév J. J. Hunt D. D.

Bureau du curé Hunt de Saint-Jean, île d'Orléans (1916-1949),
vers les années 1920
(Bibliothèque et Archives nationales du Québec,
Centre d'archives de Québec)

Une nouvelle paroisse, Notre-Dame-du-Saint-Rosaire de Beaupré, obtient son érection canonique, le 7 mai 1927, à partir de territoires détachés de Sainte-Anne-de-Beaupré et de Saint-Joachim (1,5 sur 1,5 km), et dessert la communauté de travailleurs de la nouvelle usine de pâtes et papiers. Une première chapelle est construite, la même année, pour une population qui atteint déjà 750 catholiques selon la première visite paroissiale, en forte croissance par la suite. Un presbytère s'ajoute en 1929. La chapelle, dite temporaire, continue à recevoir les paroissiens jusqu'à sa destruction dans un incendie en 1953 et son remplacement par une nouvelle église plus monumentale terminée en 1955. Une commission scolaire catholique prend en charge l'enseignement aux enfants dès 1928. Une dernière paroisse obtient son érection canonique en 1935 : la desserte de Sainte-Pétronille créée en 1870. Elle complète le portrait paroissial de la région.

De 1910 à 1950, les paroisses consolident leur organisation et élargissent leur action. Le curé occupe toujours une place centrale et parfois pour de nombreuses années, tels J.-Émile Guillot de Saint-Ferréol (1917 à 1957), Joseph-John Hunt à Saint-Jean (1916 à 1949), Pierre Leclerc (1917 à 1935) et Arthur Proulx (1935 à 1955) à Château-Richer, Ferdinand Côté (1932 à 1951) à Sainte-Famille, Amédée Fillion (1925 à 1946) à Sainte-Marguerite-Marie de Boischatel et plusieurs autres. Avec la collaboration de vicaires, du bedeau, de la ménagère et bien sûr des marguilliers pour les questions financières, les curés gèrent le quotidien de la paroisse, mais aussi président aux améliorations et aux réparations à l'église et aux installations paroissiales. La messe dominicale garde sa position centrale dans la vie sociale de la paroisse et les sacrements et les fêtes religieuses ponctuent le rythme des saisons et du calendrier liturgique. Les confréries paroissiales permettent aux fidèles de participer aux activités religieuses et sociales et de consolider le pouvoir des élites locales ; certaines plus anciennes poursuivent leur action et de nouvelles viennent en complément.

Les églises déjà établies répondent pour la plupart aux besoins de la population catholique et les nouvelles, pour les quelques paroisses créées à cette époque, se contentent d'un bâtiment temporaire (Beaupré) ou se dotent d'un édifice de facture modeste et de style moderne (Boischatel). Le principal changement résulte de la destruction par l'incendie, en 1922, de la basilique, du monastère et du juvénat de Sainte-Anne-de-Beaupré et leur reconstruction progressive, dans les années suivantes, en plus grand pour refléter la forte fréquentation du site de pèlerinage et de ses services.

Les écoles de rang gardent leur rôle sur la première ligne éducative dans les parties rurales de la paroisse, alors que les communautés religieuses continuent d'assurer l'enseignement élémentaire au village et aux classes plus élevées du primaire et du secondaire. Des communautés féminines acceptent d'augmenter leur participation dans la région. C'est le cas des sœurs de Notre-Dame du Saint-Rosaire (Rimouski) qui ajoutent à Sainte-Anne-de-Beaupré les écoles de Beaupré en 1928 et de Saint-Ferréol en 1934, alors que les sœurs de Saint-Joseph-de-Saint-Vallier (France) s'installent à Boischatel en 1935, les Petites Sœurs Franciscaines de Marie (Baie-Saint-Paul) à Saint-Tite-des-Caps en 1917, les sœurs Servantes du Saint-Cœur-de-Marie (Beauport) à Sainte-Brigitte-de-Laval en 1946 et à Saint-Pierre en 1954. Les religieuses assuraient seules, jusqu'au début de la période, l'enseignement aux garçons, tant qu'ils persistent à l'école. Les enseignantes laïques et les religieuses éprouvaient beaucoup de mal à contenir les jeunes garçons et la présence de communautés religieuses d'hommes dans des écoles et des collèges masculins les libèrent de ce poids aggravé par l'instruction obligatoire. Les frères des Écoles chrétiennes (FEC) s'établissent à Sainte-Anne-de-Beaupré en 1910, à Saint-Jean en 1937 et à Beaupré en 1938, alors que les frères de l'Instruction chrétienne (FIC) font de même à Château-Richer en 1911, y restent jusqu'en 1921 et n'y reviennent qu'en 1954. Ce ne sont cependant pas toutes les localités qui en possèdent. Finalement, en 1932, le juvénat des Rédemptoristes de Sainte-Anne-de-Beaupré est converti en collège classique sous le nom de Séminaire Saint-Alphonse. La proximité de Québec permet aux plus doués d'avoir accès à des enseignements supérieurs dans des collèges classiques de la ville ou à l'Université Laval.

Les services de santé et d'assistance sociale de la région n'échappent pas à la mission sociale de l'Église catholique et sont en grande partie pris en charge par ceux de la ville de Québec. Toutefois, les besoins ne se comparent pas à ceux des milieux urbains et sont en grande partie satisfaits par les médecins de campagne, les familles et les associations paroissiales. D'après l'annuaire téléphonique Bell de 1944, on retrouve, sur l'île d'Orléans, un médecin à Saint-Jean et un autre à Sainte-Famille, desservant l'ensemble de l'île, et, sur la Côte-de-Beaupré, un médecin à L'Ange-Gardien, un autre à Château-Richer et trois à Sainte-Anne-de-Beaupré. Les autres localités doivent faire appel au médecin le plus près, soit à son bureau, soit en visite à domicile, une pratique courante à l'époque. La concentration plus élevée de médecins s'explique autant par les activités de pèlerinage que par sa situation centrale par rapport à Beaupré, Saint-Joachim, Saint-Ferréol et Saint-Tite-des-Caps. Cela explique aussi, en 1930, la fondation par les Rédemptoristes d'un petit hôpital et sanatorium d'une trentaine de lits, administré par les Franciscaines de Marie, pour les touristes et les malades de la région. Il est déclaré d'assistance publique en 1940 et renommé Hôpital de Sainte-Anne-de-Beaupré. Sa capacité est augmentée à 50 lits dans les années 1950.

La proximité de Québec explique probablement en partie le retard considérable de la région à de doter d'une unité sanitaire de comté, en plus vraisemblablement des difficultés de financement, car il est demandé aux municipalités d'en faire la demande et de verser une contribution de 1,5 % de la valeur de l'évaluation municipale, et du problème de la situer, soit sur la Côte-de-Beaupré, soit sur l'île d'Orléans. Une unité sanitaire est établie finalement à Sainte-Anne-de-Beaupré en 1946 et une autre paraît avoir été autorisée la même année sur l'île d'Orléans, mais n'a jamais été concrétisée. Elle s'occupe de prévention, de vaccination et d'hygiène sans concurrencer les soins de première ligne assurés par les médecins.

Une conscience patrimoniale en émergence

Entre 1910 et 1950, la valeur patrimoniale de l'île d'Orléans et de la Côte-de-Beaupré commence à être connue par les touristes, en particulier des Américains, qui arrivent en automobile. Ce ne sont plus seulement quelques peintres ou membres des élites sensibilisés aux témoignages du Québec rural de tradition française qui constatent l'importance de cet héritage architectural, paysager et matériel. L'idée de le préserver de la modernité et de le mettre en valeur fait son chemin. Elle s'inscrit dans un mouvement plus vaste qui s'est manifesté à Québec lors de la mise en valeur des fortifications menacées dans les années 1870, mais aussi, dans les années 1920, par les actions du secrétaire provincial, Athanase David, notamment la loi de 1922 sur la préservation du patrimoine immobilier et des objets d'art, prévoyant la création de la Commission des monuments historiques. La Commission et particulièrement son secrétaire, Pierre-Georges Roy, font l'inventaire des bâtiments érigés avant 1800 et en publient les résultats, que ce soit les monuments commémoratifs (1923), les vieilles églises (1925) ou les vieux manoirs et les vieilles maisons (1927).

Sur cette lancée, Pierre-Georges Roy rédige un ouvrage prestigieux sur l'île d'Orléans, édité en 1928 à fort coût et rapidement épuisé. L'ouvrage fait de l'île un modèle du Québec d'autrefois tenu à l'écart des méfaits du monde moderne, où l'on retrouve le souvenir des mœurs, coutumes, formes de terres et d'habitations, vieux moulins et vieilles églises aux décorations très anciennes. L'ouvrage met également à contribution des

Pierre-Georges Roy (1870-1953), historien, archiviste et directeur du Musée de Québec (1931-1941)
(Bibliothèque et Archives nationales du Québec, Centre d'archives de Québec)

peintures et des dessins à la plume d'Horatio Walker, directement associé au projet de livre et qui partage avec l'auteur une passion pour ce patrimoine, moins en perdition là qu'ailleurs. Dans ce nouveau courant littéraire ruraliste, l'ouvrage de Marius Barbeau, *Québec où survit l'ancienne France*, publié en 1937, fait une place à l'architecture et à la culture traditionnelle de la Côte-de-Beaupré et de l'île d'Orléans. On peut comprendre les réactions émotives à la construction d'un pont dans la décennie suivante, qui allait accélérer le contact avec la modernité des richesses historiques de l'île que ces deux ouvrages mettaient en valeur.

La loi de 1935 sur l'île d'Orléans, citée plus haut, ne paraît pas avoir eu d'effets significatifs sur la conservation du patrimoine de l'île. Seuls quelques exemples isolés signalent le début d'un engagement des autorités municipales dans la conservation du patrimoine. Saint-Pierre et Sainte-Pétronille appuient, en 1939, une résolution du Comité catholique du Conseil de l'Instruction publique de la province de Québec adoptée l'année précédente, demandant au gouvernement d'acquérir la propriété de Walker à Sainte-Pétronille, de la classer monument historique et de transformer l'atelier en musée national. C'était reconnaître, d'après les deux conseils municipaux, officiellement « le mérite extraordinaire de l'œuvre » de celui qui a « vécu pendant un demi-siècle à l'île d'Orléans, qui en a été le citoyen le plus éminent et qui doit demeurer l'un des nôtres, le plus célèbre ». Saint-Pierre adopte également au nom de la préservation du cachet historique une interdiction de construction d'une maison de chambres à proximité du chemin du pont en 1945 et un règlement en 1951 défendant l'usage de haut-parleurs pour les publicités et les sollicitations dans la municipalité qui menacent la tranquillité publique et, ainsi, nuisent à l'industrie touristique. Pour l'heure, la conservation des richesses patrimoniales de l'île reste le fait d'initiatives individuelles, telle celle du juge J.-Camille Pouliot qui sauve de la ruine et restaure le manoir Mauvide-Genest dans les années 1920.

La peinture régionaliste se développe chez les artistes québécois dans la voie indiquée par Horatio Walker. Plusieurs de ces peintres prennent l'île d'Orléans et la Côte-de-Beaupré comme sujet, que ce soit Clarence Gagnon pour quelques toiles avant de s'établir dans Charlevoix, Charles Maillard qui participe à l'illustration des ouvrages de Pierre-Georges Roy, *Vieux Manoirs, vieilles maisons* et *L'Île d'Orléans*, ou Gordon Pfeiffer qui expose ses toiles au Château Frontenac dans les années 1930. L'un des membres du groupe des Sept, A. Y. Jackson, séjourne sur l'île à l'été 1925 et le Montréalais d'origine suisse André Biéler y installe son atelier pendant trois ans à compter de 1927, en tentant de renouveler la peinture champêtre.

La qualité de vie sur l'île d'Orléans n'attire pas que les artistes, mais de plus en plus de villégiateurs de la ville qui viennent passer l'été, pour profiter des paysages bucoliques des terres de l'île et des rivages du Saint-Laurent. Depuis le XIXe siècle, Sainte-Pétronille recevait des membres aisés des

La pointe sud de l'île d'Orléans à Sainte-Pétronille en 1927
(Bibliothèque et Archives nationales du Québec, Centre d'archives de Québec, Compagnie aérienne franco-canadienne, E21, CAFC, K117-10)

élites de Québec dans ses maisons de campagne et ce phénomène prend encore de l'ampleur au XXe siècle et même se répand sur la rive sud de l'île à Saint-Laurent et à Saint-Jean.

Certains villégiateurs n'ont pas à acquérir ou à louer une propriété, mais peuvent faire de courts séjours dans des installations de vacances et de loisirs, notamment à la plage d'Orléans de Saint-Jean. Dans les années 1930, un industriel de Québec acquiert l'ancien site industriel de l'usine de ciment des Allemands et aménage près de l'endroit une station balnéaire dans un ancien hangar, incluant un restaurant et une salle de réception. Incendiées en 1935, les installations sont reconstruites et comprennent une piscine, une salle à manger, un ciné-parc, un restaurant, des terrains de tennis, un petit jardin zoologique et des chalets, en plus d'un grand pavillon de 30 chambres construit en 1940, qui sera détruit par un incendie en 1957. Les activités de baignade sont affectées par les effets de la pollution dans les années 1960 et cela contribue au déclin des installations commerciales. La vocation de l'île est en voie de se transformer d'une prédominance nette des activités agricoles vers la villégiature et le tourisme historique et culturel.

7

Une région patrimoniale envahie par les banlieusards, 1950-1980

Globalement, la population de la Côte-de-Beaupré poursuit sa croissance, amorcée pendant la Deuxième Guerre mondiale, jusque dans les années 1950, mais commence à plafonner entre 1956 et 1961 alors qu'elle atteint un plateau d'environ 20 500, avant de prendre un nouvel essor à la fin des années 1970 (tableau 7.1). Les municipalités de la Côte-de-Beaupré contribuent toutes à la hausse des années 1950, mais plusieurs amorcent un déclin à compter des années 1960, soit Saint-Tite-des-Caps, Saint-Ferréol, Saint-Joachim et Beaupré. Certaines effectuent une reprise dans les années 1970, telles Sainte-Brigitte-de-Laval, Saint-Ferréol et Saint-Joachim, d'autres accélèrent leur progression dans l'orbite de l'expansion urbaine de Québec déjà en pleine action à Beauport, soit Boischatel, L'Ange-Gardien, Château-Richer et Sainte-Brigitte-de-Laval. La circulation plus facile vers Québec par les autoroutes et les boulevards et la saturation progressive du territoire de l'agglomération de Québec ont sans aucun doute favorisé cette tendance nouvelle.

À l'île d'Orléans, la population connaît une croissance plus importante de 1951 à 1981 que celle de la Côte-de-Beaupré (48 % vs 33 %), mais très inégalement répartie entre la stabilité à Saint-François et Saint-Jean, une faible croissance à Sainte-Famille et une très forte augmentation à Sainte-Pétronille, Saint-Pierre et Saint-Laurent, là où les projets résidentiels sont les plus importants.

La démographie de la région suit la tendance générale du Québec, en particulier celle des régions rurales en faible croissance. Les taux de natalité sont en baisse, passant d'environ 30 pour 1 000 au début des années 1950 à environ 14 pour 1 000 dans les années 1970, et les taux de mortalité demeurent

Village rural et développements résidentiels de banlieue
à L'Ange-Gardien, en 1979
(Bibliothèque et Archives nationales du Québec, Centre d'archives de Québec)

relativement stables à 7 pour 1 000, nettement plus faibles sur l'île d'Orléans. Comme la population augmente peu et traverse même des périodes de stabilité, le migration nette négative se poursuit la plupart du temps. Le vieillissement de la population s'amorce dans les années 1970. La population demeure toujours presque exclusivement française.

Tableau 7.1

Population de la Côte-de-Beaupré et de l'île d'Orléans par municipalités, 1951-1981

	1951	1956	1961	1966	1971	1976	1981
Sainte-Brigitte-de-Laval	1 154	1 542	1 734	1 497	1 657	1 829	2 219
Boischatel	1 297	1 461	1 576	1 648	1 685	2 279	3 345
L'Ange-Gardien	1 758	1 944	2 067	2 102	2 203	2 313	2 479
Château-Richer	2 787	2 947	3 113	3 118	3 111	3 075	3 628
Sainte-Anne-de-Beaupré (paroisse)	1 080	1 231	1 382	1 717	1 479	3 284	3 292
Sainte-Anne-de-Beaupré (village)	1 827	1 865	1 878	1 523	1 797		
Beaupré	2 015	2 381	2 587	2 926	2 862	2 821	2 740
Saint-Joachim	1 364	1 470	1 527	1 436	1 376	1 385	1 489
Saint-Ferréol-les-Neiges	1 998	2 101	2 003	1 847	1 596	1 647	1 758
Saint-Tite-des-Caps	1 678	2 036	2 057	1 899	1 780	1 671	1 700
Territoire non municipalisé	82	885	810	967	855	408	7
Côte-de-Beaupré	17 040	19 863	20 734	20 680	20 401	20 712	22 657
Sainte-Famille	816	840	901	1 016	1 032	1 040	1 027
Saint-François	526	557	508	510	485	456	515
Saint-Jean	886	916	884	856	839	812	842
Saint-Laurent	911	1 083	1 162	1 241	1 235	1 344	1 404
Saint-Pierre	818	930	1 009	1 147	1 185	1 416	1 666
Beaulieu/Sainte-Pétronille (vl)	392	409	510	498	659	801	982
Île d'Orléans	4 349	4 735	4 974	5 268	5 435	5 869	6 436
Côte-de-Beaupré et île d'Orléans	21 389	24 598	25 708	25 948	25 836	26 581	29 093

Source : Marc Vallières et autres, *Histoire de Québec et de sa région*, Québec, PUL, 2008, p. 2118.

La période de 1951 à 1981 se caractérise par une orientation marquée de l'économie régionale vers le tourisme, tant patrimonial que récréatif et alimentaire. La conservation et la mise en valeur des richesses patrimoniales de la région deviennent une priorité qui vient contenir l'afflux sans contraintes de banlieusards dans plusieurs parties de la région, notamment sur l'île d'Orléans. Par ailleurs, les réseaux de transports rapides rapprochent la partie ouest de la région de la ville centre (Québec) et l'insèrent dans la dynamique de la promotion foncière, des bungalows de banlieue et des déplacements quotidiens aux heures de pointe. L'économie se transforme aussi dans un effort, d'une part, de diversification industrielle favorisée par des programmes gouvernementaux de subvention et, d'autre part, de spécialisation agricole vers les marchés de consommation en transformation. La région participe de plus aux grandes transformations institutionnelles qui accompagnent la Révolution tranquille, tant dans le monde municipal que dans l'Église, et qui résultent des programmes gouvernementaux, surtout provinciaux, présents dorénavant dans toutes les sphères de la société moderne.

Conservation du patrimoine, plein air et industrie touristique

Depuis longtemps, la protection de l'Église assurait la survie des édifices patrimoniaux encore utilisés comme lieux de culte ou de services religieux ou éducatifs. Ce n'était pas suffisant : il fallait élargir la protection aux bâtiments non religieux et aux habitations. La Commission des monuments historiques, active

Gérard Morisset (1898-1970), initiateur de l'Inventaire des œuvres d'art et directeur du Musée du Québec (1953-1965).
(Bibliothèque et Archives nationales du Québec, Centre d'archives de Québec, Photo Neuville Bazin, 1960)

depuis 1922, obtient un élargissement de ses pouvoirs en 1952 :
elle pouvait déjà entreprendre des restaurations et, après la
nomination des nouveaux commissaires en 1955, elle peut faire
l'acquisition d'immeubles pour isoler, dégager ou mettre en
valeur un monument ou un site classé. Sous la direction de
Gérard Morisset, historien de l'art et secrétaire de la Commission
depuis 1951, cette dernière consacre de plus en plus de ressources à la restauration, à compter de l'été 1952, de bâtiments
religieux menacés. Ainsi, l'île d'Orléans bénéficie grandement
de ce programme réalisé selon une philosophie privilégiant la
restauration des lieux de culte dans leur style ancien de tradition
française. La chapelle de procession de Saint-Pierre, alors en
ruine, et les églises de Saint-François et de Saint-Jean sont
restaurées par Morisset, puis par l'architecte André Robitaille
qui poursuit dans la même tradition. Lorsque la Commission
peut exercer son pouvoir d'acquisition, elle se lance dans plusieurs achats importants, dont, en 1958, celui de l'église de
Saint-Pierre, avec l'appui du député du comté de Montmorency
et secrétaire provincial, Yves Prévost.

Dans les années 1960, il devient clair que les interventions
de classement ou d'acquisition de bâtiments patrimoniaux individuels ne pouvaient pas répondre aux besoins de conservation
des territoires comportant de nombreux vestiges rassemblés dans
un ensemble de grande valeur. Pour obvier à cette difficulté, le
concept d'arrondissement historique est introduit dans la loi de
1963 réformant la Commission des monuments historiques. Il
visait à garantir la préservation du Vieux-Québec, de sorte qu'en
1963 le Québec intra-muros et le vieux port deviennent le
premier arrondissement historique où l'affichage et l'octroi des
permis de construction, de rénovation ou de démolition tombent
sous la surveillance attentive de la Commission et du ministère
des Affaires culturelles qui devient alors le bras exécutif des
politiques. La municipalité visée voit ses pouvoirs fortement
réduits sur le territoire de l'arrondissement tout comme ceux des
propriétaires des terrains et des bâtiments. En 1964, le Vieux-
Montréal, le Vieux-Sillery, le Vieux-Beauport et le Vieux Trois-
Rivières, de même qu'en 1965 le Trait-Carré de Charlesbourg
obtiennent le statut d'arrondissement historique.

Dans ce contexte, la situation bien particulière de l'île d'Orléans refait surface. Déjà dans les années 1930, la construction du pont de l'île et ses conséquences avaient soulevé un débat autour du maintien du caractère ancien de l'île. La loi spécifique à l'île adoptée en 1935 n'en faisait pas un « monument historique » en tant que tel, mais amorçait une politique de réglementation de l'affichage (interdiction) et de la construction de services d'approvisionnent en essence des automobiles et de l'hébergement et la restauration des touristes. Au début des années 1960, les insuffisances de cette loi et de son application ressortent, tout particulièrement avec l'incapacité de la Commission des monuments et des sites d'empêcher l'installa-

Les deux églises de Saint-Pierre, île d'Orléans en 2010
Ligne de 735 kV traversant l'île d'Orléans, à Saint-Pierre en 2011
(Photos Marc Vallières)

tion par Hydro-Québec de lignes de 735 kV traversant l'île de Saint-Pierre à Saint-Laurent en 1963. En 1965, la Chambre de commerce de l'île soulève des inquiétudes quant au maintien de la valeur patrimoniale de l'île devant la Commission qui envisage de faire de l'île un arrondissement historique. Cela posait des problèmes juridiques et administratifs, dans la mesure où la loi ne prévoyait pas un arrondissement situé dans plus d'une municipalité et parce que les municipalités de l'île ne disposaient pas de systèmes de permis de construction. Il aurait fallu établir six arrondissements, un par municipalité, et amener la Commission à contacter elle-même les propriétaires. Ces obstacles retardent la décision de la Commission, qui considère même en 1969 l'idée d'une fusion des municipalités de l'île. Finalement, en 1970, après une très brève période d'information et de discussions, le gouvernement du Québec adopte un décret accordant à l'île d'Orléans le statut d'arrondissement historique. Cette décision soulève pendant quelque temps des réticences et même des résistances de la part des municipalités, mais finit par s'imposer et fournir des instruments pour assurer la survivance et le développement des richesses patrimoniales de l'île et, partant, de son industrie touristique.

Le plein air

Au-delà des vestiges d'une présence humaine très ancienne dans la région, les sites naturels des rivages et des montagnes se prêtent à une mise en valeur pour les résidents et les visiteurs saisonniers. La configuration géologique de la région rend accessibles des rivages maritimes, les montagnes et les zones habitées. Avant les années 1950, seuls quelques membres de clubs privés et leurs invités pouvaient bénéficier des ressources fauniques des lacs et des rivières des Laurentides sur les terres du Séminaire et dans la partie sud-est du parc des Laurentides (club du lac des Neiges par exemple). Dans les années 1960 et 1970, les sports d'hiver et les activités estivales dans la nature se diversifient et se démocratisent et les Laurentides deviennent, grâce à une intervention grandissante du gouvernement provincial, un vaste terrain de jeux en pleine nature.

La pratique du ski dans la région de Québec s'était développée surtout autour du lac Beauport, mais le mont Sainte-Anne, par sa taille de quelque 800 mètres et ses possibilités d'aménagements, avait déjà retenu l'attention des spécialistes. La fréquentation assidue de la montagne commence en 1941 par un groupe de résidents de Beaupré et de Sainte-Anne-de-Beaupré, le « Club de ski du mont Sainte-Anne ». L'idée d'y aménager une station de ski remonterait à 1943 et les travaux de préparation d'une première piste ont lieu en 1944 et 1945. Le site soulève l'intérêt d'enthousiastes du ski, tel Sydney Dawes et Herman (Jackrabbit) Smith-Johannsen, qui envisagent un centre de ski de première importance pour l'est du Canada et de l'Amérique du Nord. Les championnats canadiens de ski s'y tiennent en 1947 avec l'amélioration de la piste de descente, l'ouverture d'une piste de slalom et la construction d'un tremplin de 70 mètres. La descente des championnats canadiens de 1954 y a lieu également, mais il faut attendre 1961 avant que le projet de développement du mont Sainte-Anne soit relancé par la « Société pour l'avancement du ski à Québec » qui tente d'acquérir les terrains, mais qui ne parvient pas à convaincre tous les propriétaires.

Devant ce blocage, ce sont les autorités municipales de Beaupré qui devront prendre la relève et la « Commission consultative au développement du Mont Ste-Anne » et la Ville de Beaupré formulent une stratégie qui sera avalisée par l'Assemblée nationale dans une loi privée en 1964. Cette loi prévoyait la création de la « Commission du Parc du Mont Ste-Anne » avec les pouvoirs d'expropriation des terrains et d'aménagement d'un parc provincial et d'un centre de ski. La ville de Beaupré emprunte des sommes considérables et mobilise des ressources de divers programmes fédéraux et provinciaux de subvention pour réaliser le centre de ski. À l'ouverture, en 1965, le centre compte 14 pistes de difficultés diverses, des remontées mécaniques, des chalets de repos et des services d'appoint, incluant des cours de ski. Continuer à développer et gérer au quotidien un centre de ski de cette envergure et lourdement endetté dépassent largement les capacités de la Ville de Beaupré et l'incendie d'un chalet en 1967 vient faire prendre conscience de cette réalité.

Il fallait trouver un intervenant capable de prendre en charge le centre de ski et la Ville de Beaupré se tourne vers le gouvernement provincial qui lui avait fourni les instruments législatifs pour démarrer le projet. Après de longues négociations, le transfert est complété en 1970.

Le gouvernement provincial peut alors poursuivre l'expansion du centre de ski dans les années suivantes, en grande partie grâce à des fonds fédéraux, tout particulièrement l'aménagement du versant nord de la montagne, une extension du parc vers Saint-Ferréol à l'est, vers le nord jusqu'aux terres du Séminaire et vers l'ouest jusqu'à la rivière aux Chiens, la construction du chalet principal et de l'édifice de l'administration, l'amélioration des routes d'accès et, de 1974 à 1976, des pistes de ski de fond et des refuges en bois pour les skieurs. Le gouvernement fait des efforts pour étendre la vocation du parc à la saison estivale par un terrain de camping, une plage, une piste cyclable et un terrain de golf. Ces aménagements, d'autres qui vont suivre et les compétitions nationales et internationales qui s'y tiennent accentuent les retombées en emplois et en visites de touristes dans la région. Les développements résidentiels et les services qu'ils requièrent affectent de même façon la municipalité de Saint-Ferréol-les-Neiges qui en bénéficie également.

D'autres installations consolident cette vocation de la région : à l'extrémité ouest de la Côte-de-Beaupré, le parc Montmorency aménagé au sommet des chutes à Boischatel, en 1968, rappelle des événements de la guerre de la Conquête et inclut des sentiers naturels, qui s'ajoutent au terrain de golf du

Station de ski et hôtellerie au mont Sainte-Anne, en 2008.
(Photo Marc Vallières)

Quebec Golf Club ou Royal Québec, en place depuis 1925 ; sur l'île d'Orléans, le camping de Saint-Jean, en 1967, fait partie d'un mouvement d'expansion de ce type d'activités ; à Saint-Joachim, la réserve nationale de faune du cap Tourmente, aménagée sur des terrains acquis du Séminaire de Québec en 1969, ouvre, en 1978, avec un centre d'interprétation centrée sur la protection des marais à scirpes d'Amérique et sur les migrations des oies blanches et avec des sentiers pédestres au cap Tourmente.

Le tourisme, un moteur économique de la région

Les richesses patrimoniales de l'île d'Orléans et de la Côte-de-Beaupré, les activités sportives et récréatives et, bien sûr, le pèlerinage de Sainte-Anne-de-Beaupré contribuent fortement aux très nombreuses visites touristiques dans la région. Les nombres sont difficiles à établir, mais les ressources d'hébergement fournissent les indications les plus représentatives de l'importance de leurs retombées. D'après les inventaires économiques de la fin des années 1950, il y aurait 1 256 chambres sur la Côte-de-Beaupré (en 1959) et 166 sur l'île d'Orléans (1960) (voir tableau 7.2). Les guides systématiques du ministère du Tourisme du Québec révèlent, en 1970, un déclin prononcé de l'hébergement à Sainte-Anne-de Beaupré et une stabilisation dans les années suivantes. Les ressources hôtelières reliées au pèlerinage demeurent importantes et comportent un hôtel de bonne taille d'une centaine de chambres (Auberge de la Basilique) et un grand nombre de motels, petits hôtels et groupes de petits chalets individuels dits « cabines » de 5 à 30

Volée d'oies blanches sur les battures du cap Tourmente
(Bibliothèque et Archives nationales du Québec, Centre d'archives de Québec, Daniel Lessard, 1973)

chambres. La plupart sont situés à Sainte-Anne-de-Beaupré, mais il y en a plusieurs aussi à Château-Richer. En 1980, l'ouverture du centre de ski et du parc du mont Sainte-Anne vient sans doute alimenter en visiteurs les établissements de Sainte-Anne-de-Beaupré, mais incite aussi à construire des hôtels et des chalets à proximité des pentes, surtout le Château Mont-Sainte-Anne avec ses 258 chambres en 1980, qui fait partie de la chaîne de l'Auberge des Gouverneurs, tout comme une trentaine de chalets à proximité.

Tableau 7.2

Nombre d'établissements hôteliers et de chambres de la Côte-de-Beaupré et de l'île d'Orléans, 1959-1960, 1970 et 1980

Localité	1959-1960		1970		1980	
	Nombre	Chambres	Nombre	Chambres	Nombre	Chambres
Sainte-Anne-de-Beaupré	58	865	24	440	24	446
Château-Richer	11	222	17	261	8	146
L'Ange-Gardien	8	105	3	39	1	18
Beaupré	3	17	1	21	3	298
Saint-Ferréol			1	25	1	19
Autres Côte-de-Beaupré	5	47	2	22	1	13
Total, Côte-de-Beaupré	85	1 256	48	808	38	940
Sainte-Pétronille	2	95	2	57	2	45
Saint-Jean	2	59	1	12		
Sainte-Famille	2	12	3	23	1	6
Saint-Laurent			2	18	1	17
Autres			1	7	1	8
Total, île d'Orléans	6	166	9	117	5	76
Communauté urbaine de Québec			4 434		Ca 6 300	

Sources : compilation d'après les Inventaires économiques par municipalités, 1959 et 1960, et ministère du Tourisme du Québec, *Hôtels du Québec*, 1970 et 1980.

Loin de croître, l'hébergement sur l'île d'Orléans est en déclin et se limite essentiellement, au début des années 1960, aux Château Bel-Air (55 chambres) et Hôtel Bellevue (40 chambres) à Sainte-Pétronille et aux motel Plage d'Orléans (20 chambres) et Auberge des sorciers (39 chambres) à Saint-Jean. Il ne faudrait pas conclure prématurément cependant à une diminution de la fréquentation touristique dans la région. En effet, la forte croissance de la capacité d'hébergement dans la ville de Québec et ses banlieues, combinée à une amélioration substantielle des voies de circulation (autoroute 440 et boulevard Sainte-Anne), permet aux touristes de visiter tant l'île d'Orléans et la Côte-de-Beaupré que la ville de Québec. Déjà, l'héberge-ment sur la Côte-de-Beaupré ou à Beauport profitait également à l'île d'Orléans depuis longtemps et l'ouverture aux activités hivernales au mont Sainte-Anne permet à certains établisse-ments saisonniers de Sainte-Anne-de-Beaupré d'ouvrir à l'année et aux autres de consolider leur position et de diversifier leur clientèle. Tout est en place pour continuer à développer cette vocation touristique, il suffit d'élargir le spectre des activités et des produits touristiques.

Diversification industrielle et spécialisation agricole

La base économique de la Côte-de-Beaupré et de l'île d'Orléans se maintient encore pendant les décennies 1950 à 1970. L'agriculture continue à occuper une place dominante sur l'île d'Orléans et non négligeable sur la Côte-de-Beaupré et l'industrie forestière conserve une position déterminante, surtout grâce à l'usine de l'Abitibi Paper à Beaupré qui emploie bon an mal an environ 400 employés, sur un total de 600 à 800 de la Côte-de-Beaupré, dont 500 à 600 travailleurs dans la production industrielle. Cela laisse de 100 à 200 travailleurs dans d'autres établissements industriels divers. Même si l'usine de l'Abitibi Paper (Ste. Anne Paper Co) n'a que la moitié de la capacité de production de l'Anglo Pulp de Québec et le tiers de sa main-d'œuvre, elle fait partie d'une entreprise qui aspire à dominer ce secteur industriel au Canada et dans le monde et qui y parvient dans la seconde moitié des années 1970. Ses retombées sur l'économie font de Beaupré une ville de compagnie greffée à une région essentiellement agricole et ses activités forestières fournissent également beaucoup d'emplois saisonniers dans l'arrière-pays de la région.

Les activités de sciage et de transformation du bois se poursuivent dans plusieurs localités, grâce aux scieries à Château-Richer (Léo Cauchon), à Laval (Arthur Vallière), à Saint-Ferréol (Albert Lachance), à Saint-Joachim (A. Côté et frère), à Sainte-Anne-de-Beaupré (les Tourville) et à Saint-Tite-des-Caps (les Morency et Bouchard Maranda). Dans les années 1970, la scierie Cauchon survit modestement. Plusieurs petites entreprises locales continuent à fabriquer des portes et fenêtres en bois dans les années 1950 et 1960, notamment à Saint-Ferréol (Ernest Couture), à Saint-Joachim (Joseph Gagnon), à Saint-Laurent (Roger Coulombe et Albert Vaillancourt et fils), à Saint-Tite-des-Caps (les Simard) et à L'Ange-Gardien (Émilio Mathieu et Gérard Simard). Dans les années 1970 s'amorce une transition du bois vers de nouveaux matériaux (aluminium et PVC) qui provoque la fermeture des petites manufactures locales de portes et fenêtres et leur remplacement par de nouvelles entreprises, comme Solaris Québec (1972) de L'Ange-Gardien qui entreprend ses activités en utilisant le bois et qui se convertit par la suite aux nouveaux produits, alors que Gamma Industries (1974) de la même localité se lance dans la fabrication de fenêtres en aluminium. Finalement, la transformation du bois en unités préfabriquées se manifeste, dans les années 1970, à Boischatel chez Rembec pour des maisons mobiles et des motels et chez les Charpentes Boischatel pour des charpentes de bois ou encore à Saint-Laurent chez Maisons mobiles nordiques.

Usine de l'Abitibi-Price de Beaupré, en 1979
(Bibliothèque et Archives nationales du Québec,
Centre d'archives de Québec, E6,S8,D79-855,P6A)

Sur l'île d'Orléans, une des rares activités industrielles d'importance reste la construction navale à Saint-Laurent qui s'était distinguée par la construction, la réparation et la rénovation de chaloupes et de goélettes. L'activité dépend fortement du cabotage sur le Saint-Laurent, en forte expansion après la Deuxième Guerre mondiale pour le transport du bois à pâte entre la Côte-Nord et les usines de pâtes et papiers disséminées le long du fleuve. Dans les années 1950 et jusqu'à leur fermeture en 1963, les Chantiers maritimes de Saint-Laurent ltée, sous la direction de Roméo Fillion, construisent plusieurs des dernières goélettes en bois, en renforcent d'autres avec des armatures métalliques et en munissent un certain nombre de moteurs et de treuils métalliques dits « Orléans ». Certaines sont construites pour les besoins des gouvernements, surtout le fédéral. Au début des années 1960, le chantier se convertit à la construction métallique, rénove à grands frais un navire école pour le gouvernement provincial et termine ses activités en réalisant deux traversiers en acier. La conjoncture difficile pour les petits chantiers maritimes faiblement capitalisés explique la disparition de cette industrie traditionnelle de l'île.

Au-delà des produits de la forêt, quelques autres industries tentent d'élargir le spectre des activités industrielles. Il reste quelques établissements mettant en valeur les richesses minérales de la Côte-de-Beaupré, en particulier les carrières de pierre calcaire de Château-Richer (la carrière Gravel fermée en 1956 et la carrière Laplante ouverte en 1954) et la briqueterie de Brique Citadelle à Boischatel, dont l'exploitation décline rapidement dans les années 1960 et 1970. Pendant la Deuxième Guerre mondiale, une distillerie produit, à compter de 1945, un alcool commercial pour les industries de la guerre. La distillerie Montmorency, qui deviendra pour quelques années la Distillerie Beaupré dans les années 1960, se convertit après la guerre à la production d'alcool de consommation (rye et whisky) ; elle est acquise par Seagram en 1955 et emploie de 50 à 60 employés jusqu'au début des années 1980.

Une agriculture en transformation

La prédominance de l'agriculture dans l'économie régionale est fortement remise en question dans les années 1950 à 1980. Le nombre de fermes de 4 ha et plus chute de façon radicale sur la Côte-de-Beaupré, passant de 600 en 1951 à 155 en 1981, et de façon substantielle sur l'île d'Orléans où leur nombre passe de 390 en 1961 à 293 en 1981. La superficie consacrée aux activités agricoles suit la même tendance, passant de 34 500 ha à 12 500 ha sur la Côte-de-Beaupré et de 17 825 ha à 13 325 ha sur l'île d'Orléans. La population sur les fermes s'effondre sur la Côte-de-Beaupré (de 4 160 à 1 400 de 1951 à 1971) et sur l'île d'Orléans (de 2 690 à 1 700). Sur la Côte-de-Beaupré, les activités agricoles sont visiblement en voie de disparition et l'adoption en 1978 de la Loi sur la protection du territoire agricole et la création de la commission chargée de l'appliquer ne peuvent à peine qu'en ralentir le mouvement. Sur l'île d'Orléans, les effets sont moindres dans la mesure où les terres jouissaient déjà d'une certaine protection grâce à l'intervention du ministère des Affaires culturelles, au titre de l'arrondissement historique, et que le zonage agricole vient encore la consolider. La région s'inscrit dans un vaste mouvement provincial, marqué tout particulièrement dans la périphérie des grandes villes comme Québec.

Les fermes restantes s'accroissent en taille sur la Côte-de-Beaupré où elles sont déjà plus grandes, passant de 57,5 ha par ferme à 80 ha de 1951 à 1981, alors qu'elles restent stables à 45 ha par ferme sur l'île d'Orléans. L'augmentation des superficies moyennes en culture et du pourcentage de la superficie exploitée des terres s'explique par une mise en valeur plus intensive, mais aussi par la survivance des fermes les plus développées. Derrière ces mouvements se manifeste une remise en question du profil dominant de la polyculture-élevage traditionnelle et un mouvement vers la spécialisation des exploitations survivantes. La réduction radicale du nombre des vaches laitières correspond en gros à la baisse du nombre de fermes et reflète une crise de non-rentabilité grandissante des petits troupeaux qui caractérisent les fermes de la région. Plus des 90 % des fermes

de la région possèdent un cheptel laitier en 1951 et cette proportion chute à 46 % en 1981 sur la Côte-de-Beaupré et à 32 %
sur l'île d'Orléans. Le nombre de vaches laitières décroît, passant
de 3 580 sur la Côte-de-Beaupré à 1 237 de 1951 à 1981, et de
3 350 à 2 015 sur l'île d'Orléans. Les cultures d'alimentation du
bétail (foin et avoine) décroissent également, mais moins fortement sur l'île d'Orléans.

Il fallait trouver des solutions de rechange et celles-ci
s'orientent dans diverses directions, en réponse aux fluctuations
des marchés et au potentiel des fermes d'y répondre. Parmi les
activités en expansion, signalons la culture de la pomme de terre
en croissance importante dans les années 1950 et 1960 sur l'île
d'Orléans, au point de s'affirmer comme une spécialisation
persistante dans certaines parties de l'île, notamment à Saint-
Jean. Le cheptel bovin non laitier tend à se maintenir indiquant
une activité orientée plutôt vers les bovins de boucherie jusqu'à
atteindre 20 % des exploitations dans les années 1970 sur la
Côte-de-Beaupré, comparé à 10 % sur l'île d'Orléans. L'élevage
des porcs sur l'île d'Orléans, déjà en forte croissance dans les
années 1940, se maintient à des niveaux élevés, alors qu'il
décline sur la Côte-de-Beaupré. L'élevage des poules et poulets
connaît également une progression significative en nombre dans
toute la région. Dans les deux cas, il s'agit d'élevages déjà présents
sur une grande proportion des fermes, mais qui font l'objet d'une
concentration et d'une spécialisation dans un nombre réduit de
grandes porcheries et de grands élevages de poulets. Le sommet
est atteint dans les années 1970.

Par ailleurs, les productions de fruits et de légumes occupent une place grandissante dans les activités agricoles de la
région, sur la Côte-de-Beaupré certes, mais encore plus sur l'île
d'Orléans. Elles entrent dans des réseaux de distribution en
transformation, à la fois les conserveries, les épiceries de la région
et les marchés publics. Ces derniers sont en difficulté toutefois
dans les années 1950 à 1980 et n'amorcent une reprise qu'en
1976 avec l'ouverture sous abri temporaire du marché de la Place
à Sainte-Foy. Déjà les superficies en pommiers étaient importantes dans les années 1950 (155 ha sur la Côte-de-Beaupré et

360 ha sur l'île d'Or-
léans), en réduction
toutefois à 40 et 140 ha
respectivement en
1981, mais toujours
substantielles. Les frai-
ses occupent des super-
ficies stables entre 20 et
30 ha sur la Côte-de-
Beaupré et en forte

croissance sur l'île d'Orléans où elles passent de 190 ha en 1951
à 300 ha en 1981, alors que les framboises mobilisent une vingtaine d'hectares dans les deux parties de la région. Enfin, la
culture du maïs sucré est implantée dans les années 1960 et
atteint une soixantaine d'hectares sur la Côte-de-Beaupré et
une quarantaine sur l'île d'Orléans en 1981, sans pouvoir rejoindre Portneuf (160 ha). Il faut signaler aussi le développement
d'une culture des fruits et légumes en serres dans les années 1960
et 1970. D'à peine 140 m² en 1961 sur l'île d'Orléans, les superficies en serres atteignent 4 822 m² en 1981 et s'étendent également sur la Côte-de-Beaupré malgré une certain retard. Les
cultures maraîchères peuvent se libérer des aléas de la météo et
devancer et prolonger leur saison de production.

Les conditions matérielles et financières des exploitations
agricoles se transforment également. Les investissements requis
s'accroissent, notamment avec la généralisation de l'électrification rurale, dans les années 1950, et l'accessibilité des équipements de réfrigération, de traite mécanique, d'éclairage et de
contrôle des températures. Les tracteurs, présents, en 1951, dans
moins de 20 % des fermes de la Côte-de-Beaupré et dans 36 %
des fermes de l'île d'Orléans, se retrouvent en 1981 dans 93 %
et 95 % des exploitations respectivement. La mécanisation des
cultures requiert de la machinerie de plus en plus puissante, qu'il
faut rentabiliser sur des fermes plus grandes ou par leur mise en
commun ou leur location. Ainsi, les moissonneuses-batteuses,

Ferme avec serres à Sainte-Famille, île d'Orléans, en 1979
(Bibliothèque et Archives nationales du Québec,
Centre d'archives de Québec, E6,S8,D79-743,P30)

les presses et les moissonneuses à plantes fourragères se répandent. Les coûts d'achat des provendes animales et des suppléments, des salaires, des carburants, des engrais, des semences, de l'énergie, de la location de machines, de la réparation et de l'entretien de la machinerie et des bâtiments et les frais de financement viennent grever le budget des exploitations agricoles en voie de se transformer en petites industries. L'agriculture traditionnelle qui avait caractérisé la région était menacée, même si les résistances ne manquent pas devant cet envahissement. Cette nouvelle agriculture bénéficie aussi des multiples politiques gouvernementales d'aide financière et de contrôle des marchés et des prix.

Un monde municipal en expansion

De 1950 à 1980, le monde municipal de la région conserve son organisation dans un environnement de remise en question du trop grand nombre de municipalités au Québec par le gouvernement provincial. En effet, à l'époque où le gouvernement remet en question le nombre excessif de commissions scolaires locales et les regroupe, au milieu des années 1960, en commissions scolaires régionales par l'opération 55, les administrations municipales font face à une État provincial réformateur, planificateur et interventionniste. Les programmes se multiplient dans des domaines peu exploités dans les municipalités de la région, surtout rurales, et font l'objet de subventions tant provinciales que fédérales. Ainsi, l'approvisionnement, le traitement et l'épuration de l'eau, les réseaux d'égouts et de drainage, l'aménagement du territoire, la promotion économique, les parcs industriels, les travaux d'hiver et l'habitation dépassent les limites d'une fiscalité municipale incapable de soutenir les travaux d'infrastructure requis et l'engagement de nouveaux fonctionnaires pour les gérer. Contrairement aux grandes municipalités urbaines comme Laval, Québec ou Montréal et leurs banlieues sur lesquelles le gouvernement multiplie les pressions pour des regroupements dans les années 1960 et 1970, les municipalités rurales sont seulement incitées à se prévaloir des lois de fusions volontaires de 1965 et de 1971.

Dans cet environnement, un seul regroupement intervient sous l'empire de la loi de 1971 : la fusion de la municipalité de village de Sainte-Anne-de-Beaupré avec la municipalité de paroisse de Sainte-Anne-de-Beaupré. Les deux municipalités, il faut le rappeler, avaient déjà été regroupées de 1906 à 1920, avant de se diviser selon le modèle traditionnel de l'érection du village au centre de la paroisse en municipalité séparée. Ce type d'incorporation de village était le seul qui existait dans la région, car les autres villages incorporés en municipalités séparées se situaient à une extrémité de l'ancienne municipalité de paroisse, tels Beaulieu/Sainte-Pétronille pour Saint-Pierre et Saint-Laurent, Beaupré pour Sainte-Anne-de-Beaupré et Boischatel pour L'Ange-Gardien. À Sainte-Anne-de-Beaupré, plusieurs contribuables de la municipalité de paroisse ont fait des tentatives, dans les années 1950, pour être rattachés à la municipalité de village afin de bénéficier d'un service d'aqueduc, comme protection contre les incendies, et, en 1962, la municipalité de village tente d'obtenir le statut de ville, mais sans succès. Le projet d'une fusion village-paroisse refait surface en 1965 alors qu'un comité d'étude conjoint est formé sans que l'on sache ce qu'il en est ressorti. En 1968, un échevin de la municipalité de paroisse fait des démarches au ministère des Affaires municipales pour clarifier les étapes nécessaires à une fusion et, sur la base de son rapport, une session conjointe des deux conseils reconsidère la question d'une fusion. Ce n'est cependant qu'au début d'août 1972 que les deux municipalités font une demande conjointe de fusion. Elle se réalise en janvier 1973 et elle permet à la nouvelle municipalité d'accéder au statut de ville de Sainte-Anne-de-Beaupré.

Dans ce contexte, il n'est pas surprenant d'entendre des discussions sur l'île d'Orléans, au début de 1972, à propos d'une fusion des municipalités de l'île. Les maires ressentent la pression, mais ne voient aucun avantage à l'idée, préférant des fusions de services, comme celui de la collecte des déchets alors discuté, qui pourrait être réglementé par le conseil de comté. Ce dernier conserve ses prérogatives pendant toute la période et une fusion des conseils de comté de Montmorency n° 1 (Côte-de-Beaupré) et n° 2 (île d'Orléans) ne semble avoir été proposée qu'en 1954. Elle est aussitôt rejetée par les maires de l'île pour le motif que les besoins de l'île ne sont pas les mêmes et qu'il faut maintenir une administration complètement distincte.

De nouvelles responsabilités municipales

Dans les années 1950, les municipalités de la région n'ont guère de moyens. Celles de l'île d'Orléans ne dépensent même pas 4 000 $ par année en moyenne, en 1950, dont une moitié pour les routes et les rues, soit des budgets allant de 1 676 $ à Saint-François à 5 922 $ à Saint-Laurent. Aucune d'elles n'a de dettes, et par conséquent aucune n'a d'intérêts sur des emprunts à verser. Sur la Côte-de-Beaupré, les dettes se situent en moyenne à 12 175 $, allant de 2 267 $ à Saint-Joachim à 33 593 $ à Boischatel, plus élevées dans les villages avec plus de services et un début d'endettement, comme à Beaupré (22 726 $) et à Sainte-Anne-de-Beaupré (18 544 $). Dans les décennies suivantes, les dépenses municipales s'accroissent de façon marquée : elles atteignent, en 1970, sur l'île d'Orléans une moyenne de 18 560 $, s'étendant de 10 641 $ à Sainte-Famille à 37 080 $ à Saint-Laurent, alors qu'elles se situent à une moyenne de 115 220 $ sur la Côte-de-Beaupré, comprises entre 42 570 $ à Saint-Joachim et 205 644 $ à Beaupré. Cette forte croissance s'alimente à une fiscalité municipale fondée toujours sur les taxes foncières tant générales que spéciales pour des besoins ponctuels, auxquelles se sont ajoutées, dans les années 1950, les remises de taxes de ventes perçues par le gouvernement provincial et pouvant aller jusqu'à 2 % des ventes sur le territoire de chaque municipalité. Ce sont les municipalités qui ont une activité commerciale importante qui en bénéficient le plus, notamment à Sainte-Anne-de-Beaupré dès 1951, alors que les autres le font à compter des années 1960. Les sommes sont élevées et excèdent nettement, dans la plupart des municipalités de la région, l'ensemble des revenus de taxes foncières en 1970.

Ces montants s'ajoutent aux revenus de partage de services municipaux par des voisines et aux subventions reçues des gouvernements supérieurs en vertu de programmes particuliers.

Depuis 1935, le gouvernement provincial subventionnait l'entretien d'hiver des chemins non entretenus par le ministère de la Voirie. Depuis 1955, il aide les municipalités à soutenir les frais des emprunts contractés pour la construction d'un réseau d'aqueduc et d'égouts. Il subventionne aussi l'établissement de services de protection contre les incendies (poste de pompier et équipement). Les programmes se multiplient dans les années 1960, sous la forme, par exemple, de soutien aux travaux d'hiver, là où le chômage est élevé, ou d'appui à des travaux d'infrastructure ou encore de prêts de la Société centrale d'hypothèques et de logement. Toutes ces mesures et les pressions de la population pour la mise à niveau des services municipaux dans les localités rurales ou en urbanisation favorisent l'expansion de ces services dans les municipalités de la région.

Les infrastructures de circulation et l'urbanisation

L'action des instances municipales reste concentrée sur les routes et les rues dans les villages et les villes, alors que le ministère de la Voirie (ou des Transports) joue un rôle de premier plan dans l'infrastructure routière intermunicipale et interrégionale. En effet, même si la Côte-de-Beaupré et l'île d'Orléans ne comptent aucune autoroute sur leur territoire, la construction d'un réseau autoroutier plus à l'ouest, dans les années 1960 et 1970, se répercute sur leur développement. En effet, l'autoroute 20 de Québec à Montréal, terminée en 1964, relie la région de Québec au reste de l'Amérique du Nord et facilite la venue des touristes et le mouvement des transports commerciaux. Des autoroutes s'ajoutent à la périphérie de Québec, raccordées au pont de Québec et au pont Pierre-Laporte (1970), puis s'étendent vers le nord, soit Henri IV (1963), Duplessis (1966), du Vallon (1975), en traversant Charest (1962), puis continuent vers l'est par l'autoroute de la Capitale (1970-1976) en croisant l'autoroute Laurentienne et en rejoignant l'autoroute Dufferin-Montmorency à Beauport (Montmorency). Cette dernière autoroute fournit un accès direct à la haute-ville de Québec, à ses sites touristiques, ses hôtels et ses bureaux gouvernementaux, aux habitants de la Côte-de-Beaupré et de l'île d'Orléans en évitant la circulation ardue et congestionnée par le boulevard Sainte-Anne dans Beauport et par le chemin de la Canardière dans Québec. Elle permet aux touristes hébergés à Québec de se rendre facilement sur la Côte-de-Beaupré et, par le pont, sur l'île d'Orléans.

Avec l'ajout, au début des années 1950, du prolongement du boulevard Sainte-Anne depuis Montmorency vers Sainte-Anne-de-Beaupré et Beaupré en parallèle avec le chemin Royal (route 360) et le chemin de fer, la circulation vers la Côte-de-Beaupré, Saint-Tite-des-Caps et Charlevoix (la route 138 actuelle) se trouve nettement améliorée. Son raccordement avec les autoroutes Dufferin-Montmorency (440) et de la Capitale (40), au milieu des années 1970, et sa jonction avec l'avenue Royale vers le mont Sainte-Anne et Saint-Ferréol (poursuite de la route 360) viennent compléter un réseau routier auquel peuvent se greffer des voies de jonction et des rues accompagnant des développements immobiliers. Sur l'île d'Orléans, le chemin du pont et le chemin Royal (route 368) faisant le tour de l'île à une distance variable du rivage, de même que la route Prévost,

Le chemin Royal et le boulevard Sainte-Anne en parallèle sur la Côte-de-Beaupré à Château-Richer, en 1979
(Bibliothèque et Archives nationales du Québec, Centre d'archives de Québec, E6,S8,D79-1080,P6A)

qui traverse l'île du chemin du pont vers Saint-Laurent, et deux autres chemins secondaires reliant Saint-Pierre et Saint-Laurent (route des Prêtres) et Sainte-Famille et Saint-Jean (route du Mitan) complètent un réseau déjà en place et amélioré et entretenu par le ministère des Transports et les municipalités pour certaines sections. Là aussi, des rues sont ouvertes surtout dans les villages ou à proximité pour accommoder les premiers développements résidentiels rendus possibles par la meilleure efficacité du réseau.

Dans les années 1960 et 1970, les municipalités naviguent à travers les programmes de subventions du ministère des Transports et les taxes spéciales aux propriétaires pour rembourser les emprunts destinés à la réfection de sections de routes. Elles s'engagent dans la municipalisation de rues privées ou la construction de rues selon leurs normes pour les développements immobiliers auxquels elles fournissent les services d'aqueduc et d'égout. Sur l'île d'Orléans, ces activités se produisent surtout à Sainte-Pétronille et à Saint-Pierre où la promotion immobilière se développe selon ce schéma pour des résidents devenus permanents et non plus seulement pendant la période estivale. Par ailleurs, sur la rive sud entre Saint-Laurent et Saint-Jean, les activités immobilières augmentent le long du fleuve entre les propriétés existantes où parfois à l'arrière de celles qui sont situées sur la face sud de la route. La municipalité de Sainte-Pétronille se préoccupe, dans tous les détails, des largeurs de rues, des poteaux, des revêtements, du drainage et de l'entretien des rues et, en 1957, adopte un règlement introduisant la numérotation des maisons et confirmant ou modifiant la désignation des rues de la municipalité. Des rues et des avenues viennent symboliser l'entrée de Sainte-Pétronille (village de Beaulieu) dans une dynamique urbaine. Ouvertures de rues et développements résidentiels se multiplient également à Boischatel et à Beaupré, mais débutent également à L'Ange-Gardien et à Château-Richer. Des portions de terres agricoles changent de vocation et de nouvelles rues se raccordent au chemin Royal avec leurs rangées de bungalows de banlieue, caractéristiques de ce type d'étalement urbain.

De l'eau, des égouts et des ordures

Dans le monde rural, s'approvisionner en eau consiste à creuser un puits pour en tirer l'eau nécessaire aux besoins quotidiens des résidents et des animaux. Au tournant des années 1980, cette pratique prévaut toujours sur l'île d'Orléans. Ces puits n'ont généralement pas de débit suffisant pour alimenter plusieurs consommateurs. Toutefois, quelques petits réseaux privés ont survécu, en 1960, à Sainte-Famille (Clément Prémont) et à Saint-Jean (Roméo Fillion). Un conseiller de Sainte-Pétronille propose, aussi tôt qu'en 1953, de faire réaliser des études sur un aqueduc par des ingénieurs, mais ne parvient pas à obtenir d'appui au conseil. À Saint-Pierre, en 1966 et 1972, les constructeurs de projets résidentiels sont autorisés à se doter d'un réseau privé d'aqueduc et d'égout, mais ils devront se conformer à d'éventuelles normes édictées par la municipalité, si dans l'avenir elle construisait son propre réseau. L'île compte alors sur des fosses septiques et n'a pas encore de réseau d'égout, sauf pour quelques égouts collecteurs qui déversent les eaux usées

Résidences permanentes et de villégiature à Saint-Laurent sur les rives du fleuve, île d'Orléans, en 1979
(Bibliothèque et Archives nationales du Québec, Centre d'archives de Québec, E6,S8,DC79-493-P5A)

au fleuve au-delà la ligne des basses eaux. À la fin des années 1970, avec un nouveau service et la création du ministère de l'Environnement, des évaluations plus serrées révéleront des liens entre les sources d'eau potable et les fosses septiques sur les exploitations agricoles.

Sur la Côte-de-Beaupré, la plupart des localités peuvent compter sur des rivières provenant des Laurentides pour y puiser l'eau, généralement traitée au chlore, pour leurs services d'aqueduc. Ainsi, la rivière Ferrée alimentait déjà un réseau à Boischatel qui prend de l'expansion avec les nombreux développements résidentiels et l'approvisionnement du réseau de sa voisine, L'Ange-Gardien. À Château-Richer, le nouveau service municipal d'aqueduc, créé en 1950 par l'acquisition de trois réseaux privés, fait l'objet de travaux d'amélioration et d'extension dans les années 1960 et 1970, surtout avec la construction d'un barrage et d'une usine de chloration sur la rivière du Sault à la Puce, l'acquisition de la Société d'aqueduc de la côte de l'église et du réseau du Petit-Pré et l'installation des services d'aqueduc et d'égout dans plusieurs sections de l'avenue Royale hors du village. Il en est de même à Sainte-Anne-de-Beaupré, où les résidents de l'avenue Royale, dans la municipalité de paroisse, cherchent à obtenir ces services en demandant un raccordement au réseau de la municipalité de village de Sainte-Anne-de-Beaupré ou de la ville de Beaupré. Ces enjeux jouent certainement dans les tentatives de division ou de fusion municipale, réglées par la fusion du village et de la paroisse de Sainte-Anne-de-Beaupré en 1972. Les autres municipalités tirent leur eau courante de rivières (la Jean-Larose par exemple pour Saint-Ferréol) ou de sources (village de Saint-Joachim). Quant aux réseaux d'égout sur la Côte-de-Beaupré, ils se déchargent sans traitement dans des émissaires allant au fleuve ou dans des rivières comme la Sainte-Anne.

L'enlèvement des déchets existe déjà, à la fin des années 1950, dans la plupart des municipalités, telle Sainte-Pétronille sur l'île d'Orléans depuis 1945, et à Château-Richer à compter de 1954. Avant ces initiatives, les rives du fleuve ressemblaient à des dépotoirs privés où des parties de chaque propriété recevaient les déchets de toute nature. Les services municipaux font la collecte des ordures et les déposent dans des petits dépotoirs loués des propriétaires privés, avant de les concentrer dans un grand dépotoir situé à Saint-Tite-des-Caps, créé en 1969. Le site est transformé en lieu d'enfouissement sanitaire en 1978 et peut recevoir les déchets de la Côte-de-Beaupré et de l'île d'Orléans, en plus des cendres de l'incinérateur et d'autres déchets de la Communauté urbaine de Québec. Une transition s'amorce donc dans la région pour un traitement des matières résiduelles selon des normes environnementales renforcées.

La sécurité publique

Les deux volets de la sécurité publique (police et pompiers) ne requièrent que des interventions occasionnelles des responsables et rendent les municipalités réticentes à engager du personnel permanent pour la prendre en charge. L'engagement, en 1952, par la municipalité de Beaupré d'un chef de police prévoit un cumul de la fonction de chef de pompiers, une formation sur le fonctionnement du système d'aqueduc, un travail pendant l'hiver sur le camion de déneigement des rues, une surveillance comme contremaître des travaux de construction et de réparation et, de façon générale, tous les travaux requis par le conseil municipal. Le chef doit en plus fournir son automobile, moyennant compensation. Dans ces conditions, le chef de police limite son mandat à une seule année. L'engagement d'un constable municipal à temps plein ou partiel tend à se généraliser, au cours des années 1960, dans les localités les plus importantes, mais le poste reste difficile à pourvoir pour les autres qui doivent rechercher des solutions ailleurs. À la fin des années 1950, il y a un constable dans la moitié des six municipalités de l'île d'Orléans et, sur la Côte-de-Beaupré, à Boischatel, Sainte-Anne-de-Beaupré et Beaupré (3 dans ce cas). À la fin des années 1970, d'autres s'étaient ajoutés, par exemple à Château-Richer en 1968, mais il est difficile de trouver des candidats formés et de les retenir à des conditions acceptables. Les municipalités font alors appel à la Sûreté du Québec pour assurer gratuitement les services policiers locaux. La Sûreté assurait déjà, à partir d'un poste à Sainte-Anne-de-Beaupré, la répression des excès de vitesse et la gestion des accidents sur les routes, en plus de faire des enquêtes et de la surveillance des établissements détenteurs de permis de vente d'alcool.

À la fin des années 1950, il existe des services de protection contre les incendies dans une municipalité sur deux de la région. Ils comprennent normalement une caserne, une pompe à incendie et un corps de pompiers volontaires de plus d'une dizaine de membres. Les autres municipalités passent des ententes avec leurs voisines pour partager les ressources, souvent obtenues grâce à des subventions provinciales. Sur l'île d'Orléans, Saint-Laurent se dote de ressources en pompes et citernes à la fin des années 1950 et dans les décennies suivantes, notamment avec la coopération des chantiers maritimes de Saint-Laurent. Saint-Pierre fait de même, à la même époque, avec une pompe, un garage et un camion à incendie. La première dessert également Sainte-Pétronille au début des années 1960, qui se dote de certains équipements, telles des citernes et des bornes-fontaines, alors que la seconde passe une entente, en 1967, avec Sainte-Pétronille pour un service commun de protection des incendies. Les deux partenaires desservent vraisemblablement Sainte-Famille et se regroupent avec Saint-Laurent en 1978, pour se permettre des équipements plus élaborés (camion-citerne à Saint-Pierre) et un poste à incendie à Saint-Laurent. Sainte-Famille et Saint-Jean s'associent en 1976 afin de bénéficier d'une subvention pour acheter un bâtiment et un camion à incendie. Les services de pompiers doivent composer sur l'île avec l'absence de réseaux d'aqueduc.

Sur la Côte-de-Beaupré, les services de protection contre l'incendie se développent également grâce au programme provincial de subventions à l'achat de matériel, dans les années 1950, et aux services municipaux d'aqueduc. Caserne, camion à incendie et ses accessoires font également partie des bases d'un service de protection contre les incendies, comme ceux qu'établit chaque municipalité de la Côte-de-Beaupré, depuis Beaupré jusqu'à Boischatel. Cela n'empêche pas plusieurs d'entre elles de collaborer dans des situations exceptionnelles : en 1969,

Boischatel et L'Ange-Gardien se joignent dans le « Plan d'entraide intermunicipale relatif à la protection contre les incendies » avec les municipalités du Grand Beauport, qui sera renouvelé par la suite.

Les débuts de l'urbanisme et de l'aménagement

Dans la mesure où les villages se transforment en petites villes, avec des quartiers résidentiels, et que les municipalités se préoccupent de l'image de leur territoire et de la nature et de la qualité des constructions et des services offerts, ces dernières commencent à réglementer les activités de développement et de construction par des règlements d'urbanisme et de zonage. L'aménagement fait son entrée dans la sphère municipale. Quelques exemples illustrent cette dynamique naissante. Située autour de la municipalité de village de Sainte-Anne-de-Beaupré qui s'est développée comme un lieu de pèlerinage très achalandé, la municipalité de paroisse de Sainte-Anne-de-Beaupré adopte un règlement en 1952 « concernant l'urbanisme, la construction et l'établissement de magasins, postes de commerce, boutiques commerciales, en bordure du chemin Royal et du boulevard Orléans [Sainte-Anne] ». Elle affirme vouloir préserver « son

Village touristique et paroisse rurale en coexistence
à Sainte-Anne-de-Beaupré, en 1979
(Bibliothèque et Archives nationales du Québec, Centre d'archives de Québec, collection Pierre Bureau, 22.40 6,S8,D79-1084,P9A)

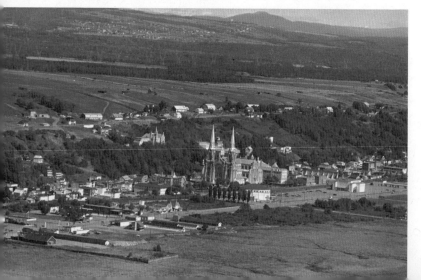

cachet et sa bonne apparence esthétique » et y définit la nature et les caractéristiques des constructions érigées le long de ces routes, ainsi que de l'affichage commercial. À Boischatel, en 1953, la municipalité de village adopte un règlement de zonage et de construction établissant quatre zones d'occupation des terrains, soit d'habitations, de commerces, d'industries et spéciales. Des normes de construction des bâtiments et d'aménagement des terrains font partie de ce règlement, ainsi qu'un système de permis et d'inspection des bâtiments.

Sur l'île d'Orléans, des règlements d'urbanisme et de zonage existent à la même époque à Sainte-Pétronille et aussi à Saint-Pierre. En 1967, les municipalités de l'île forment un comité intermunicipal d'urbanisme pour étudier et coordonner l'aménagement, en particulier le zonage, le lotissement et la construction, en vue de préparer un plan général. L'intervention du ministère des Affaires culturelles de 1970 et la création de l'arrondissement historique vient contraindre les municipalités à entrer dans un processus d'aménagement contrôlé par le ministère, en vertu de modifications législatives adoptées en 1972. La préparation d'un plan de sauvegarde et de mise en valeur de l'île d'Orléans par un comité d'étude et de coordination pour le territoire orléanais et une firme-conseil suscite la création par les municipalités d'une commission conjointe d'urbanisme, au milieu des années 1970, pour se faire entendre. À compter de 1976, le ministère décide d'associer étroitement les municipalités à l'organisation du territoire et de les amener à adopter chacune une réglementation municipale d'urbanisme. Plus que jamais, la planification du développement de l'île s'organise.

Une société rurale envahie par la modernité

D'une société rurale sortant à peine de la Grande Dépression et de la Deuxième Guerre mondiale et encore imprégnée en profondeur des valeurs de l'agriculture traditionnelle, de l'industrie fondée sur la transformation des richesses naturelles, de l'éducation catholique et de la pratique religieuse quasi unanime centrée autour de la paroisse et de ses institutions, la Côte-de-Beaupré et l'île d'Orléans subissent la même Révolution tranquille qui affecte le Québec de cette période. Les fondements de la société traditionnelle sont remis en question à tous les niveaux, en commençant par l'éducation et en poursuivant dans la paroisse, les services de santé, l'accès aux produits de consommation moderne, aux moyens de communication et aux activités culturelles.

Une éducation publique et régionalisée

S'il est un domaine où les transformations se sont révélées les plus radicales dans la région, c'est sans doute en éducation. La petite école de rang, le couvent et le collège paroissial animé par des communautés religieuses enseignantes et l'accès sélectif à la poursuite des études classiques et universitaires dans des institutions de Québec dominent le monde éducatif régional. Le mouvement continue de se répandre dans les années 1950, avec l'arrivée, en 1954, des sœurs Servantes du Saint-Cœur-de-Marie de Beauport à Saint-Pierre. En 1949, 80 religieuses enseignent dans les couvents de la Côte-de-Beaupré et 24 dans ceux de l'île d'Orléans, auxquels on peut ajouter une douzaine de frères des Écoles chrétiennes à Sainte-Anne-de-Beaupré et à Beaupré. Avec le boom des naissance des années 1950 et 1960, les clientèles scolaires augmentent de façon importante dans les localités de la région. Entre 1955 et 1967, elles doublent au moins dans la plupart des écoles, sans que les effectifs religieux augmentent, tout au contraire, car les communautés perdent des membres dans un contexte social en mutation. En 1973, il reste à peine 30 religieuses dans les écoles de la Côte-de-Beaupré et 17 dans celles de l'île d'Orléans.

Dans les années 1960, le gouvernement du Québec s'engage plus directement dans l'organisation du système scolaire local et régional et prend la relève des autorités religieuses. Dans la suite de l'Opération 55 de 1965, il regroupe les enseignements du secondaire dans des commissions scolaires régionales (CSR), soit la CSR Orléans comprenant les 19 commissions scolaires locales de la Côte-de-Beaupré et de l'île d'Orléans, de même que celles du Grand Beauport. De grandes polyvalentes à Giffard, Courville, Beauport et Beaupré (Mont-Sainte-Anne) reçoivent les étudiants véhiculés par autobus scolaire. Dans les années 1970, au moment où les clientèles du secondaire atteignent leur sommet, la dénatalité commence à frapper celle du primaire, déclenchant un regroupement des commissions scolaires locales entre 1970 et 1972. Les neuf commissions scolaires de la Côte-de-Beaupré fusionnent et forment la commission scolaire de la Côte-de-Beaupré, alors que les six commissions scolaires de l'île d'Orléans font de même avec celles de Montmorency, Courville et Villeneuve dans la commission scolaire des Chutes-Montmorency. Avec ces regroupements, les institutions de la Côte-de-Beaupré et de l'île d'Orléans font de plus en plus partie du Québec urbain qui commence à l'englober.

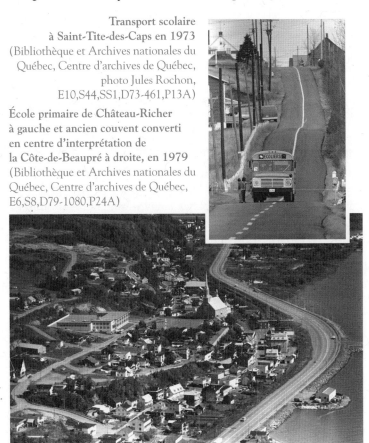

Transport scolaire
à Saint-Tite-des-Caps en 1973
(Bibliothèque et Archives nationales du
Québec, Centre d'archives de Québec,
photo Jules Rochon,
E10,S44,SS1,D73-461,P13A)

École primaire de Château-Richer
à gauche et ancien couvent converti
en centre d'interprétation de
la Côte-de-Beaupré à droite, en 1979
(Bibliothèque et Archives nationales du
Québec, Centre d'archives de Québec,
E6,S8,D79-1080,P24A)

Au-delà des structures, les programmes changent, les pro-
fesseurs sont des laïcs formés dans des facultés de sciences de
l'éducation, les petites écoles de rang ont disparu, soit démolies
ou vendues pour être transformées en résidences. Les étudiants
ont un accès direct à un enseignement public supérieur, centralisé dans le Québec urbain et plus abordable, dans les cégeps
(Limoilou, François-Xavier-Garneau, Sainte-Foy) et à l'Université Laval.

Les paroisses en repli vers le religieux

Longtemps dominantes dans la société locale, les institutions paroissiales doivent se replier progressivement sur la pratique religieuse. La fréquentation des messes commence à
décliner, moins rapidement cependant dans les paroisses rurales,
les revenus des paroisses baissent, les ressources en prêtres et en
membres des communautés religieuses diminuent, les écoles
passent dans la sphère publique et laïque et les loisirs, les sports
et les activités culturelles locales deviennent de responsabilité
municipale. L'intervention de l'État plus généralement dans les
services sociaux remplace la mission sociale de l'Église qui jusque-là y suppléait. Les nouveaux moyens de communication,
telles la presse, la radio et surtout la télévision, rendent accessibles l'information et la culture du Québec et du monde aux
confins des rangs et des paroisses sans intermédiaire et ouvrent
le monde rural à la société moderne. Malgré toutes ces transformations, l'organisation paroissiale ne subit pas de changements
profonds et chaque paroisse dispose de ressources humaines
suffisantes pour continuer son œuvre : seule Sainte-Pétronille
partage avec Saint-Pierre le même curé en 1973.

Des services de santé accessibles

En milieu rural, les services de santé passent par le médecin de campagne qui continue, jusque dans les années 1970, à
exercer un quasi « ministère », 24 heures par jour et 7 jours par
semaine, tel le docteur Robert Gaulin de Sainte-Famille en poste
de 1934 à 1984. Il y a bien un petit hôpital à Sainte-Anne-de-
Beaupré, devenu d'assistance publique en 1940, offrant une

trentaine de lits et un autre d'une vingtaine de lits, à la fin des années 1950, pour le service des résidents et des nombreux pèlerins et touristes. S'est ajoutée, en 1946, une unité sanitaire de comté, desservant l'ensemble du comté de Montmorency.

Fondées sur le tard, les unités sanitaires de la région de Québec offrent des services complémentaires à ceux des médecins de campagne. Dans Montmorency, il s'est agi de déterminer s'il y aurait une seule unité sanitaire pour l'ensemble du comté ou deux, une pour la Côte-de-Beaupré et une pour l'île d'Orléans. Cette dernière est autorisée en 1946 par le conseil des ministres, mais ne s'est pas concrétisée, de sorte que Sainte-Anne-de-Beaupré devient le siège de l'unité sanitaire du comté. Sous la responsabilité d'un médecin hygiéniste, Benoît Genest, dans les années 1950 et 1960, l'unité sanitaire de Montmorency s'occupe des maladies contagieuses par des visites des familles, l'examen des contacts et des cas suspects, des visites des écoles et l'exclusion des enfants affectés. Elle se charge aussi du dépistage de la tuberculose, des vaccinations antivariolique, antituberculeuse, antipolio et DCT (diphtérie, coqueluche, tétanos), de l'hygiène maternelle, de la première enfance, des enfants d'âge scolaire et des problèmes dentaires. Elle fait également des inspections des viandes, du lait et des aliments, ainsi que des inspections sanitaires des aqueducs, des égouts et des établissements publics. Médecin-hygiéniste, visiteuses d'hygiène, inspecteur sanitaire et dentistes se déplacent abondamment en automobile dans le comté.

Pendant les années 1970, la mise en place du réseau des centres locaux de services communautaires (CLSC) fait disparaître les unités sanitaires (en 1975 dans Montmorency), alors que le gouvernement procède à une réforme en profondeur de la santé, en assumant le coût des visites chez les médecins et dans les hôpitaux et en réorganisant la pratique médicale dans les hôpitaux et dans des cliniques privées. Le CLSC Orléans et ses points de service, établis éventuellement à Beaupré et Saint-Pierre, en plus de ceux de Beauport, constituent une première ligne centralisée de soins médicaux et de services sociaux.

Commerces et services locaux

Vivre à la campagne ne signifie plus, dans les années 1950, vivre isolé du monde de la consommation moderne. Le monde commercial urbain se répand alors dans le monde rural et cela se manifeste par une transformation des commerces et des services locaux. La Côte-de-Beaupré et l'île d'Orléans, en raison de leur proximité avec le Québec urbain en expansion dans des banlieues comme Beauport situées à la limite ouest de la région, entrent, en fin de période, dans l'orbite commerciale de Québec. Le magasin général traditionnel est encore largement présent. En 1948, par exemple, il s'en trouve 24 sur la Côte-de-Beaupré et 10 sur l'île d'Orléans. En 1980, il n'en reste plus que 4 et 3 respectivement. La spécialisation des activités commerciales, amorcée dans la période précédente, se poursuit et se manifeste par le maintien de l'épicerie locale, soit une ou parfois deux par village sur l'île d'Orléans, soit deux ou trois sur la Côte-de-Beaupré. Le boucher a perdu sa place dans le commerce des viandes et s'est intégré à l'épicerie, de sorte qu'en 1980 il n'en reste plus que cinq pour toute la région. Dans un vaste mesure, le commerce des denrées reste encore fortement présent à l'échelle locale.

La vente des tissus, des vêtements, de la quincaillerie et des matériaux de construction que l'on retrouvait dans les magasins généraux ne parvient que rarement à s'établir

Ancien magasin général de Château-Richer, pris en charge par la famille Lessard depuis 1944, agrandi en 1982 et exploité sous la bannière Marché Richelieu, en 2008
(Photo Marc Vallières)

sous la forme de commerces spécialisés. Cela tient à la concurrence difficile à contrer des grands magasins urbains au début de la période, situés sur la rue Saint-Joseph à Québec, et de la vente par catalogue encore populaire dans les milieux ruraux, puis, dans les années 1960 et 1970, des centres commerciaux qui s'établissent en banlieue de Québec. L'amélioration de la circulation vers Québec par les boulevards et les autoroutes les rend facilement accessibles à la population de la Côte-de-Beaupré et de l'île d'Orléans. Ils présentent l'avantage de rassembler sur un même site une gamme élargie de commerces couvrant la plupart des besoins de consommation, y compris les appareils ménagers et électroniques recherchés de plus en plus par la population régionale. Il existe peu d'équivalents dans la région et seul l'axe du boulevard Sainte-Anne se prête à la présence de commerces à vocation régionale, surtout dans les environs de Sainte-Anne-de-Beaupré.

Parmi les commerces et les services locaux qui se maintiennent, malgré la concurrence de Québec, les garages et les stations-service répondent à un besoin d'approvisionnement et de réparation des automobiles et d'autres véhicules moteurs qui circulent sur les routes et sur les fermes. En moyenne, il s'en trouve un par municipalité, marquant son caractère essentiel au même titre que l'épicerie. Tenant compte de la vocation touristique de la région, les visiteurs en automobile en ont besoin, tout comme de services de restauration et d'hébergement. Ces derniers sont relativement peu nombreux encore sur l'île d'Orléans, mais ils sont plus répandus sur la Côte-de-Beaupré, surtout autour de Sainte-Anne-de-Beaupré. Les services financiers sont traditionnellement assurés dans la grande majorité des localités par la Banque canadienne nationale (fusionnée avec la Banque provinciale du Canada dans la Banque nationale du Canada en 1979), mais celle-ci est absente de Sainte-Brigitte-de-Laval et de Boischatel sur la Côte-de-Beaupré et de Saint-Pierre, de Saint-François et Sainte-Pétronille, sur l'île d'Orléans. Seules des caisses populaires, fondées entre 1934 et 1946, viennent la concurrencer dans toutes les paroisses de la Côte-de-Beaupré et à Saint-Pierre et Saint-Laurent sur l'île d'Orléans.

Une culture à préserver et à mettre en valeur

Les richesses patrimoniales de l'île d'Orléans et la Côte-de-Beaupré deviennent de plus en plus connues et appréciées par les Québécois et les touristes qui les visitent. On l'a vu plus haut, l'intervention du ministère des Affaires culturelles amorce un effort particulier de préservation de ces témoins d'un passé rural ancien et de leur environnement par la création de l'arrondissement historique de l'île d'Orléans en 1970. Elle prépare des efforts plus organisés à compter des années 1980. Tout de même, il faut signaler des initiatives particulières qui lancent la mise en valeur patrimoniale de la région, surtout la restauration complète, en 1972-1973, du moulin du Petit-Pré à Château-Richer et son affectation ultérieure comme centre culturel et bureaux administratifs, ainsi qu'une intervention du ministère pour assurer la restauration de la Grande Ferme du Séminaire de Québec à Saint-Joachim en 1979.

Cette culture traditionnelle s'oppose de plus en plus aux médias qui pénètrent le monde rural. La presse quotidienne, d'abord, rejoint les ménages par la poste dans les années 1950. D'après les relevés des ABC Audit Reports, en 1955, 85 % des ménages de la Côte-de-Beaupré et de l'île d'Orléans reçoivent soit *Le Soleil* (50 %), *L'Action catholique* (31 %) ou *L'Événement* (4 %). La pénétration de la presse se maintient par la suite, mais la part du marché du premier augmente, alors que celle du second diminue jusqu'à sa disparition au début des années 1970, tout comme celle du troisième. Par la suite, le *Journal de Québec* prend le relais et gruge le marché du *Soleil*. Progressivement, la livraison par camelot ou la vente en magasin remplace la distribution par la poste, d'abord sur la Côte-de-Beaupré, à partir du milieu des années 1950, puis nettement plus tard sur l'île d'Orléans, dans les années 1970. La radio était déjà présente à Québec et l'électrification rend les appareils de réception généralisés dans la région, de sorte que les auditeurs ont accès à une programmation variée d'au moins trois stations (CBV de Radio-Canada, CHRC et CKCV). La télévision s'ajoute, dans les années 1950, tant celle de Radio-Canada à Québec (CFCM-TV en 1954, puis CBVT en 1964) que celle de réseaux privés que CFCM-TV représente à Québec. Le téléjournal, les téléromans, les émissions culturelles et les émissions-jeunesse font dorénavant partie de la consommation quotidienne médiatique de la population de la région.

Les paysages et les légendes de l'île d'Orléans et de la Côte-de-Beaupré continuent d'inspirer de nombreux artistes et celui d'entre eux qui aura le plus de retentissement reste sans doute Félix Leclerc. Son œuvre littéraire et ses chansons tirent leur inspiration de ses séjours à l'île, chez des résidents à compter de 1946, dans un camp en bois rond qu'il y construit, au début des années 1960, et dans sa résidence permanente de Saint-Pierre, à partir de 1970. Que ce soit par un de ses livres comme *Le Fou de l'île* ou par ses disques ou ses nombreuses chansons, entre autres *Le Tour de l'île*, Félix Leclerc attire l'attention et soulève l'imagination des Québécois et des Français sur le milieu de vie auquel il est profondément attaché. Des films et des reportages le présentent dans ses terres et sa maison de l'île et il offre des spectacles au Théâtre de l'île de Saint-Pierre qu'il contribue à mettre sur pied dans les années 1970.

Tout est en place au tournant des années 1980 pour développer les ressources culturelles et patrimoniales de l'île d'Orléans et de la Côte-de-Beaupré, il suffit de mobiliser les ressources du milieu, jusque-là dispersées dans des municipalités peu argentées et coordonnées par un conseil de comté sans grands pouvoirs. Il fallait cependant déterminer des orientations et des priorités.

8

Nouvelle agriculture, tourisme et banlieue, 1980-2010

De 1981 à 2006, la population de la région s'accroît de 4 500 environ, passant de 29 093 à 33 667. Cet accroissement se produit principalement sur la Côte-de-Beaupré, car sur l'île d'Orléans le gain net n'atteint guère 400 habitants, avec des baisses et des hausses dans chaque municipalité ne dépassant pas 200. Après une hausse au début des années 1980, on peut considérer que la population demeure stable, en raison des multiples contraintes qui limitent son développement résidentiel. Les quelque 4 000 résidents supplémentaires sur la Côte-de-Beaupré résultent principalement de hausses à Boischatel (près de 2 000), à Sainte-Brigitte-de-Laval (plus de 1 500), à Saint-Ferréol-les-Neiges (environ 800) et à L'Ange-Gardien (530) et de pertes à Sainte-Anne-de-Beaupré et à Saint-Tite-des-Caps surtout. Ces résultats sont certainement liés aux

Hôpital Sainte-Anne-de-Beaupré et CLSC Orléans (Beaupré) en 2005
(Photo Normand Perron)

développements résidentiels de type banlieue à Boischatel, L'Ange-Gardien et Sainte-Brigitte-de-Laval, comparables à ceux contigus de Beauport. Ils découlent aussi en partie des activités du parc du Mont-Sainte-Anne à Saint-Ferréol-les-Neiges et à Beaupré.

Par ailleurs, avec le déclin marqué de la natalité et une réduction de la mortalité, la région, comme le Québec d'ailleurs, entre dans une période de vieillissement de la population. De

Tableau 8.1

Population de la Côte-de-Beaupré et de l'île d'Orléans par municipalités, 1981-2006

	1981	1986	1991	1996	2001	2006
Sainte-Brigitte-de-Laval	2 219	2 388	2 833	3 214	3 383	3 790
Boischatel	3 345	3 662	3 878	4 152	4 303	5 287
L'Ange-Gardien	2 479	2 412	2 819	2 841	2 815	3 008
Château-Richer	3 628	3 802	3 690	3 579	3 442	3 563
Sainte-Anne-de-Beaupré	3 292	3 162	3 146	3 023	2 752	2 803
Beaupré	2 740	2 725	2 676	2 799	2 761	3 006
Saint-Joachim	1 489	1 489	1 478	1 493	1 471	1 362
Saint-Ferréol-les-Neiges	1 758	1 717	1 995	2 219	2 014	2 546
Saint-Tite-des-Caps	1 700	1 584	1 523	1 522	1 426	1 440
Territoire non municipalisé	7	10				
Côte-de-Beaupré	**22 657**	**22 951**	**24 038**	**24 842**	**24 367**	**26 805**
Sainte-Famille	1 027	1 026	942	913	882	844
Saint-François	515	483	493	484	489	573
Saint-Jean	842	894	832	847	862	968
Saint-Laurent	1 404	1 406	1 551	1 576	1 617	1 601
Saint-Pierre	1 666	1 892	1 992	1 982	1 891	1 816
Beaulieu/Sainte-Pétronille	982	1 068	1 128	1 090	1 038	1060
Île d'Orléans	**6 436**	**6 769**	**6 938**	**6 892**	**6 779**	**6 862**
Côte-de-Beaupré et île d'Orléans	**29 093**	**29 720**	**30 976**	**31 734**	**31 146**	**33 667**

Source : Marc Vallières et autres, *Histoire de Québec et de sa région*, Québec, PUL, 2008, p. 2118.

8,4 % en 1981, la population de 65 ans et plus atteint 13,8 % en 2001. Le portrait global ne démontre pas de différences importantes entre la Côte-de-Beaupré et l'île d'Orléans, mais, à l'échelle municipale par contre, les écarts sont plus significatifs. Ainsi, les localités vieillissantes, comme Sainte-Anne-de-Beaupré (23,8 %), Beaupré (22,2 %) et Saint-Jean (19,4 %) se démarquent, en 2001, de celles qui accueillent des jeunes ménages de banlieue, surtout Sainte-Brigitte-de-Laval (8,3 %), Boischatel (8,4 %) et L'Ange-Gardien (10,2 %). La région conserve toujours son caractère quasi entièrement francophone.

Un territoire à aménager : les MRC et les municipalités

Pendant les années 1970, les politiques et les organismes du gouvernement du Québec envahissent de plus en plus la gestion du territoire rural, que ce soit la Régie d'épuration des eaux (1961), le Service de protection de l'environnement du ministère des Affaires municipales, transformé en 1978 en ministère de l'Environnement, la Loi sur le zonage agricole de 1979, la loi sur les ententes intermunicipales de la même année, sans oublier les interventions du ministère des Affaires culturelles, tout particulièrement dans les arrondissements historiques (île d'Orléans en 1970). Dans ces domaines et plus généralement dans les questions d'aménagement et d'urbanisme, il fallait trouver un niveau décisionnel intermédiaire de coordination entre le gouvernement du Québec et les municipalités rurales autonomes et jalouses de leurs pouvoirs. Après plusieurs tentatives infructueuses de les remettre en question, la meilleure option politiquement réalisable consistait à convertir les conseils

Bureaux de la MRC de la Côte-de-Beaupré, en 2008
(Photo Marc Vallières)

de comté, à défaut de pouvoir les remplacer, en municipalités régionales de comté (MRC) avec mandat principal d'aménager le territoire (Loi sur l'aménagement et l'urbanisme de 1979).

La création des MRC de la région s'appuie sur les conseils de comté en existence. À compter de l'entrée en vigueur de la loi (décembre 1979) jusqu'en 1981, des consultations de la population et des municipalités permettent d'établir les territoires de ces MRC et il en résulte une transition généralement harmonieuse qui maintient le même territoire, celui du conseil de comté de Montmorency n° 2 pour la nouvelle MRC de L'Île-d'Orléans, et qui ne retire que Sainte-Brigitte-de-Laval de celui du conseil de comté de Montmorency n° 1 pour la MRC de la Côte-de-Beaupré. Cette municipalité décide de faire partie de la MRC de La Jacques-Cartier, tenant compte de ses affinités et des liens de communication avec ses consœurs des contreforts des Laurentides. Ce découpage maintient des réalités historiques et géographiques très anciennes.

Après quelques années d'organisation, les deux MRC de la région peuvent amorcer leur premier grand dossier : la confection d'un schéma d'aménagement. La MRC de la Côte-de-Beaupré entreprend l'opération à l'automne 1983 et celle de L'Île-d'Orléans au commencement de 1985. Le début du processus d'élaboration a pour effet de déclencher l'application d'un contrôle intérimaire automatique (12 octobre 1983 pour la Côte-de-Beaupré et 5 juin 1985 pour L'Île-d'Orléans) qui gèle les nouvelles utilisations du sol et les morcellements de lots en attendant que la MRC adopte son propre règlement de contrôle intérimaire, lequel peut entrer en vigueur s'il n'est pas désavoué par le ministre des Affaires municipales. Par la suite, s'amorce un dialogue entre les ministères du gouvernement du Québec et leurs projets d'action sur le territoire de chaque MRC, concrétisés dans des « orientations préliminaires et projets du gouvernement en matière d'aménagement du territoire », et des propositions d'aménagement de la MRC, auxquelles répondent des « orientations et projets du gouvernement... » plus précis et mis à jour, accompagnés des objections du gouvernement aux propositions. Sur ces bases, des firmes de consultants, des aménagistes, des administrateurs de la MRC et les maires se lancent dans la préparation d'un schéma d'aménagement, soumis à des assemblées de consultation, adopté ensuite officiellement, puis transmis au ministre des Affaires municipales pour approbation et mise en vigueur. Ainsi, le schéma de l'île d'Orléans reçoit cet aval en 1989, alors que celui de la Côte-de-Beaupré doit attendre cette confirmation jusqu'en 2002. Finalement, la MRC de L'Île-d'Orléans entreprend, en 1996, une révision de son schéma conclue en 2001.

Fondés sur une analyse souvent détaillée de la situation géographique, écologique, démographique, économique et sociale de chaque MRC, ces schémas d'aménagement se concentrent essentiellement sur l'utilisation du territoire et ses affectations principales en fonction d'orientations privilégiées. Le schéma de l'île d'Orléans de 1989 et sa révision de 2001 confirment d'abord la vocation agricole traditionnelle de l'île, présente sur un territoire couvrant 94 % de sa superficie, occupée à 90 % par des fermes soumises à la Loi sur la protection du territoire agricole qui limite leur conversion à d'autres usages. Ces contraintes importantes n'empêchent pas, au-delà des droits acquis, une extension de la transformation sur la ferme des produits agricoles, y compris les cabanes à sucre, leur vente notamment en kiosque et les activités agrotouristiques, par exemple l'hébergement à la ferme, l'animation et les visites pédagogiques, l'autocueillette (pommes, fraises et framboises en particulier) et la vente de produits artisanaux.

Les retombées de l'importance et du succès de cette spécialisation se retrouvent dans le paysage rural de l'île, riche en bâtiments patrimoniaux (20 monuments historiques classés et 620 « maisons de l'inventaire »), dont plusieurs remontent au Régime français et ont conservé leur facture ancienne. La désignation de l'île comme arrondissement historique en 1970, suivie de l'intervention directe du ministère des Affaires culturelles dans son aménagement à compter de 1972, en association quatre ans plus tard avec les six municipalités, contribue à protéger avec rigueur les témoins architecturaux et visuels de la vie rurale traditionnelle. Ils se répartissent le long du chemin Royal, qui ceinture l'île et accueille pour quelques heures le flot saisonnier des touristes, de même que dans les six villages qui en constituent des étapes obligées. Le tandem agriculture-tourisme, généralement peu compatible, cohabite mieux sur l'île qu'ailleurs, même s'il parvient difficilement à faire augmenter la durée des séjours et souffre d'une circulation très congestionnée en période de trop forte fréquentation. Ainsi, en 1995, moins de 10 % des visiteurs de la région touristique de Québec se rendent sur l'île, ce qui représente tout de même plus de 340 000 personnes, auxquelles peuvent s'ajouter autant de visiteurs de la région de Québec. La faiblesse et la lente croissance de l'infrastructure des services et des activités touristiques en limitent le développement, ce qui paradoxalement protège l'île d'une surexploitation.

La relative quiétude de l'île ne subit pas non plus les contrecoups d'activités forestières, faute de forêts publiques, ni d'industries autres que celle de la transformation de produits agricoles sur des fermes. Les schémas d'aménagement de l'île et les orientations gouvernementales ignorent cette dimension souvent notable du développement régional. Ainsi, en 1985, « considérant son cachet particulier [...] le ministère de l'Industrie et du Commerce n'estime pas souhaitable que la MRC de L'Île-d'Orléans se dote d'un parc industriel ou qu'elle mette sur pied un organisme de promotion industrielle ».

Dans la MRC de la Côte-de-Beaupré, le schéma d'aménagement mentionne un enjeu récréotouristique dominant pour la région, qui prend la relève des activités forestières et industrielles (papeterie de Beaupré) et s'appuie sur le tourisme religieux traditionnel à Sainte-Anne-de-Beaupré et le développement des sports d'hiver au parc du Mont-Sainte-Anne depuis son ouverture en 1965. La vocation touristique peut s'appuyer d'abord sur les richesses patrimoniales le long du vieux chemin Royal (l'avenue Royale) de Boischatel à Sainte-Anne-de-Beaupré, mais de plus en plus aussi sur les parcs naturels et fauniques (chutes Montmorency, Jean-Larose et Sainte-Anne, des Laurentides, du Cap-Tourmente et les Sept Chutes,). Si l'exploitation forestière a perdu beaucoup de terrain, la vocation agricole ne représente plus, dans les années 1980, que 40 % du territoire municipalisé de la MRC et 5 % du total en incluant les vastes espaces non organisés de l'arrière-pays laurentien.

L'élaboration du schéma d'aménagement se termine en 1987 à l'échelle de la MRC de la Côte-de-Beaupré, mais ne reçoit l'assentiment gouvernemental qu'en 2002. Ce délai exceptionnel s'explique par la difficulté de régler une question litigieuse : l'emplacement de la ligne naturelle des hautes eaux du fleuve Saint-Laurent. À peu près ignorée des parties gouvernementales et municipales dans les travaux de préparation du schéma d'aménagement, la bande de terrain littorale de 27 km, située au sud du boulevard Sainte-Anne, a fait depuis longtemps l'objet de remblayages par les propriétaires riverains et devient, dans les années 1980, un objet privilégié d'intervention du ministère québécois de l'Environnement dans l'application de nouvelles politiques de protection des rives, du littoral et des plaines inondables (1987). Ces nouveaux enjeux complexes soulèvent rapidement de la confusion, des négociations et des durcissements de position entre, d'une part, des groupes d'environnementalistes et les ministères québécois responsables de l'environnement et de la faune et, d'autre part, des groupes de propriétaires des terrains riverains, les municipalités visées et la MRC.

Littoral du Saint-Laurent près de Sainte-Anne-de-Beaupré et empiètements, en 1979
(Bibliothèque et Archives nationales du Québec, Centre d'archives de Québec, E6,S8,D79-1066,P7A)

En plus de retarder la mise en vigueur du schéma d'aménagement pendant 15 ans, non sans conséquences sur les dossiers régionaux et locaux d'aménagement, le conflit passe à travers des phases de négociations de 1987 à 1989, d'actions gouvernementales plus vigoureuses notamment judiciaires de 1989 à 1991, qui auraient pu aller jusqu'à l'imposition de modifications au schéma adopté, suivies, de 1991 à 1994, de plusieurs tentatives de formuler sur des bases scientifiques et juridiques une ligne de démarcation des hautes eaux qui pourrait rallier des intervenants campés sur leurs positions. Devant l'impasse, le ministère de l'Environnement confie, en février 1994, un mandat d'enquête à une commission du Bureau d'audiences publiques sur l'environnement (BAPE) qui remet, trois mois plus tard, une rapport éclairant sur le dossier, avec une voie de solution. Ce rapport a le mérite de sortir de l'obsession d'une ligne salvatrice, mais difficile à établir par consensus et même sur le terrain, en raison notamment des remblais déjà présents. Il réintroduit la nécessité de discuter de l'aménagement et de l'utilisation de ce territoire, une opération de confection d'un plan d'aménagement et de mise en valeur écologique de la zone riveraine du fleuve Saint-Laurent que la MRC entreprend en 1994 et qui sera réalisée selon une démarche comparable à celle du schéma d'aménagement lui-même, tant au niveau municipal qu'à celui des ministères concernés (Environnement et Affaires municipales). Le plan est adopté finalement par la MRC, le 25 juin 1997. Une loi du Québec de 1999 (chapitre 84) vient délimiter la ligne des hautes eaux et la mise en vigueur est confirmée finalement en 2002. Il est alors trop tard pour entreprendre, comme les autres MRC, la révision du schéma, de sorte que l'opération fera plutôt partie du futur schéma de la Communauté métropolitaine de Québec qui inclut d'ailleurs à ce titre les MRC de La Jacques-Cartier, de la Côte-de-Beaupré et de L'Île-d'Orléans. Toutefois, la MRC de la Côte-de-Beaupré amorce, à la fin des années 2000, sa réflexion pour une révision de son schéma d'aménagement.

L'application des schémas et l'urbanisation

Les MRC ont la responsabilité de reconnaître et de déterminer les affectations économiques de l'espace régional, en particulier à la confluence de la protection du territoire agricole, instituée en 1978, et de l'occupation urbaine des villes et villages de la région, tant celle qui est constatée depuis les années 1980 que celle à prévoir pour répondre à leurs besoins résidentiels, commerciaux et industriels futurs. La délimitation de périmètres d'urbanisation des municipalités de chaque MRC doit faire partie des schémas d'aménagement et prend la forme d'une carte pour chacune d'entre elles et parfois de considérations générales qui président à leur confection. Les contextes d'urbanisation varient cependant beaucoup, selon que l'on se retrouve en espace agricole ou non, mais les effets concrets se rejoignent dans l'ouverture des rues et l'introduction des services d'aqueduc et d'égout. Sur l'île d'Orléans, en 1986, l'occupation résidentielle dans les villages comporte une forte proportion de résidences secondaires (30 % du total) réparties le long du fleuve sur le côté sud-est et sud-ouest dans Saint-Jean (54 %), Saint-François (47 %), Saint-Laurent (32 %) et Sainte-Pétronille (26 %), mais faible sur le côté nord-ouest, dans Sainte-Famille (9 %) et Saint-Pierre (5 %). Un peu plus de 40 % des résidences secondaires de l'île sont concentrées à Saint-Jean et 25 % à Saint-Laurent. Les velléités expansionnistes des municipalités de l'île doivent composer avec les contraintes imposées par la Loi sur la protection du territoire agricole et aussi la valeur patrimoniale des bâtiments de cet arrondissement historique, qui se retrouvent dans les périmètres d'urbanisation du premier schéma de 1989, dont certains empiètent sur le territoire agricole. Le schéma révisé de 2001 vient confirmer les périmètres de 1989 et même réduire ceux de Saint-Pierre et Sainte-Famille, même si ces municipalités disposent de peu d'espace pour s'étendre.

Sur la Côte-de-Beaupré, la plupart des municipalités (5 sur 8) se sentent à l'étroit dans les zones blanches de la Loi sur la protection du territoire agricole et veulent définir, dans leur schéma d'aménagement, leurs périmètres d'urbanisation en y empiétant substantiellement. Des développements résidentiels importants, dont plusieurs, déjà en cours au moment de la mise en vigueur de la loi, peuvent se poursuivre et d'autres s'ajoutent, notamment dans Saint-Ferréol-les-Neiges, L'Ange-Gardien et

Château-Richer pour répondre aux prévisions optimistes de croissance des municipalités, principalement dans l'unifamilial.

Avant la création des MRC, des ententes intermunicipales comblaient occasionnellement les services essentiels les plus pressants excédant les capacités d'une seule municipalité. À la suite de leur mise en place, les MRC en assument certains ou facilitent la mise en place d'organismes particuliers, des régies par exemple, qui les prennent en charge. Ainsi, sur l'île d'Orléans, les dossiers des ordures ménagères et du transport adapté transitent par la MRC. Sur la Côte-de-Beaupré, le problème de la collecte et du traitement des eaux usées de trois municipalités trouve une solution dans un projet défini à compter de 1989, réalisé en vertu d'une entente intermunicipale de 1993 par la Régie intermunicipale d'assainissement des eaux usées de Boischatel, L'Ange-Gardien et Château-Richer, et achevé en 1998. Finalement, l'intervention des MRC dans l'aménagement se concrétise dans des normes minimales, souvent très détaillées, auxquelles doivent se conformer les règlements d'urbanisme de chaque municipalité. Elles portent sur le zonage, notamment les cours d'eau, les rives et le littoral, les espaces inondables, les prises d'eau potable, l'enfouissement sanitaire, les bâtiments et sites patrimoniaux, les dépotoirs de véhicules, les maisons mobiles, l'affichage commercial, les coupes forestières, de même que sur le lotissement et sur les conditions d'émission des permis de construction. Les schémas des années 1980 amorcent cette opération et leurs révisions la poussent encore plus loin. Elles deviennent aussi plus précises dans le lotissement et les permis de construction. Les deux MRC de la région naviguent ainsi entre un gouvernement provincial

Usine de traitement de la Régie intermunicipale d'assainissement des eaux usées de Boischatel, L'Ange-Gardien et Château-Richer, en 2008 (Photo Marc Vallières)

plus interventionniste et normatif dans tous les domaines de la vie régionale et des municipalités coincées entre ces politiques gouvernementales et les attentes accrues des citoyens pour des services mieux adaptés aux réalités contemporaines.

Des municipalités modernes

À partir des années 1980, les municipalités de la Côte-de-Beaupré et de l'île d'Orléans ne peuvent plus se contenter de gérer les affaires locales à temps partiel avec un personnel très limité. Elles doivent consolider les services traditionnels : la protection contre les incendies (pompiers), la construction, la réparation et l'entretien hivernal des routes, des rues et des trottoirs (transport), l'aqueduc et les égouts (hygiène du milieu). Elles doivent aussi offrir modestement de nouveaux services locaux, certains reliés aux nouvelles activités d'aménagement à l'échelle des MRC, tels l'octroi de permis, l'urbanisme et l'évaluation municipale, d'autres à des activités locales, tels les loisirs ou la culture (bibliothèque publique, par exemple). Elles doivent enfin assumer les charges d'un endettement croissant et les contributions aux services de leur MRC (administration, enlèvement des ordures, transport adapté) ou aux services policiers (Sûreté du Québec). Elles peuvent également se prévaloir des mesures gouvernementales de subventions pour un vaste éventail de programmes. Avant les années 1980, seules quelques municipalités plus urbanisées étaient organisées solidement, les autres se dotent par la suite des instruments essentiels à une gestion locale moderne.

Boischatel, caserne de pompiers et usine de filtration, en 2010
(Photo Marc Vallières)

Une économie régionale orientée vers le tourisme et la nature

Depuis les années 1980, l'économie de la Côte-de-Beaupré et l'île d'Orléans s'appuie de plus en plus sur une nouvelle agriculture spécialisée et orientée vers des marchés ciblés et sélectifs, sur une mise en valeur des ressources récréotouristiques et sur la consolidation des ressources culturelles et patrimoniales. Il s'agit d'attirer et d'agrémenter les visites touristiques, tant étrangères que nationales ou régionales.

Une agriculture nouvelle : spécialisations et marchés

Même si le nombre de fermes continue de diminuer de 1981 à 2006, passant de 150 sur la Côte-de-Beaupré à 84 et de 293 à 179 sur l'île d'Orléans, tout comme la superficie occupée qui passe de 12 450 ha à 7 300 et de 13 250 ha à 11 600 respectivement, la superficie mise en culture tend à se maintenir à 2 700 ha sur la Côte-de-Beaupré et à 8 300 sur l'île d'Orléans. Les effets du zonage agricole et de l'arrondissement historique pour l'île d'Orléans limitent les pertes, mais la spécialisation des cultures et des activités de production vient consolider les exploitations survivantes et les insérer dans de nouveaux circuits commerciaux. Les productions se diversifient et se transforment en misant sur les conditions climatiques locales, sur l'offre de nouveaux produits et sur des marchés orientés vers des clientèles touristiques et des consommateurs sélectifs, férus de traditions et d'expériences culinaires. Elles se retrouvent certes sur la Côte-de-Beaupré, mais en très grand nombre sur l'île d'Orléans, au point de constituer un pôle économique dominant, reconnu dans le schéma d'aménagement de la MRC de L'Île-d'Orléans.

Depuis les début des années 1980, des fermes spécialisées de l'île se lancent dans un éventail de productions. Elles choisissent une viande, une boisson, quelques fruits ou légumes dont elles cultivent et développent des variétés caractéristiques et les transforment en produits dérivés de toutes sortes. Elles accueillent les visiteurs circulant sur la route du tour de l'île dans

des comptoirs de vente plus ou moins élaborés ou les incitent à l'autocueillette en saison. Elles écoulent aussi leur production dans des marchés urbains comme celui du Vieux-Port à Québec ou dans certaines épiceries de la région. Des restaurants de l'île, comme La Goéliche (Sainte-Pétronille) ou Le Canard huppé (Saint-Laurent) utilisent leurs produits dans des recettes recherchées qui attirent les touristes et les résidents de la grande région de Québec.

Le menu du visiteur se constitue au fur et à mesure de ses déplacements sur les 70 km du tour de l'île. Il s'amorce par des vins et liqueurs de Cassis Monna et Filles (Saint-Pierre), des vins du vignoble Isle de Bacchus (Saint-Pierre), des bières de la Microbrasserie d'Orléans (Sainte-Famille) ou des cidres du Domaine Orléans (Saint-Pierre). Entrées et mets principaux s'appuient sur des élevages d'agneau de la Bergerie Saute-Mouton (Saint-Jean), des poulets et dindes de la Ferme avicole Orléans (Sainte-Famille), des oies et canards de la Ferme d'Oc (Sainte-Famille), des poissons (esturgeon, anguille, truite, saumon et

Ferme de production de pommes de terre à Saint-Jean, île d'Orléans, en 2010
(Photo Marc Vallières)

doré, frais ou fumé) de la Poissonnerie Jos. Paquet (Saint-Pierre), voire une truite pêchée à la Ferme piscicole Richard Boily (Sainte-Famille). Ces mets sont accompagnés d'une grande variété de légumes, en particulier des asperges et pommes de terre de la Ferme des Pionniers (Saint-Laurent), des haricots de la ferme Blais-Gosselin, les Haricots de l'île d'Orléans (Saint-Laurent), des choux de Bruxelles de la Ferme Louis Gosselin (Saint-Laurent), des endives de Denis Fortier de Saint-Laurent, des tomates de la Ferme des Anges (Sainte-Famille), des poireaux, céleris-raves et radicchio de la Ferme Murielle Lemelin (Saint-François), des pommes de terre de Valupierre (Saint-Laurent) et toutes sortes d'autres légumes aux Serres Roch Hébert (Sainte-Famille) ou aux Fermes Jacques Coulombe & Fils (Saint-Laurent). Au recensement de 2006, 48 fermes de l'île sur 179 déclarent une production de légumes. En pause, le pain de La Boulange (Saint-Jean) peut accompagner des fromages comme Le Paillasson des Fromages de l'isle d'Orléans (Sainte-Famille).

En guise de desserts, les fruits de l'île se retrouvent partout dans des comptoirs de vente ou dans des champs ou des arbres prêts à être cueillis. Les fraises, les framboises et les pommes dominent nettement, mais d'autres les accompagnent sur les comptoirs comme les bleuets. Les fraises inaugurent la saison, suivies des framboises et finalement des différentes variétés de

Le Paillasson et ses artisans (Diane Marcoux et Jocelyn Labbé) reprenant, en 2004, la tradition de fabrication de fromages sur l'île remontant au début du Régime français
(Photo Les Fromages de l'isle d'Orléans)

pommes. Les Fermes Jean-Pierre Plante & Fils, Léonce Plante & Fils, François Gosselin, Louis Gosselin de Saint-Laurent ou la ferme La Rosacée de Saint-Pierre, tout particulièrement, comptent parmi les 88 fermes de l'île sur 179, en 2006, qui déclarent des productions de fruits ou petits fruits, dont 44 des fraises, 35 des framboises et 42 des pommes. Plusieurs producteurs élargissent les variétés produites pour améliorer la qualité et, dans les cas des fraises, prolonger la saison de récoltes jusqu'à la fin de l'été, alors que certains réussissent à pénétrer les supermarchés de la région avec des volumes importants et des emballages modernes.

Essor de la vocation récréotouristique

Aménagé dans les années 1970, le parc du Mont-Sainte-Anne domine le paysage de la Côte-de-Beaupré et l'industrie récréotouristique de la région. Il fallait en faire une infrastructure sportive de niveau international et, à compter des années 1980, une valse public-privé s'amorce pour atteindre cet objectif. Déjà propriété du gouvernement provincial, le parc du Mont-Sainte-Anne devient le principal mandat de gestion de la Société des établissements de plein air du Québec (Sépaq) lors de sa création en 1985, mais cette dernière éprouve beaucoup de difficultés à construire un véritable complexe touristique, impliquant une base de services, commerces et résidences pouvant rentabiliser les activités, de sorte que le parc et ses installations sont privatisés, en 1994, et remis à de grandes entreprises spécialisées dans ce domaine : Club Resorts et plus récemment Resorts of the Canadian Rockies (RCR). Un accès routier modifié en profondeur, la construction intensive d'habitations résidentielles saisonnières occupées de plus en plus à l'année, d'hôtels, de terrains de golf s'ajoutent au centre de ski de fond de qualité internationale. Cette station touristique rejoint, parmi les installations de sports d'hiver de la région de Québec, celles de Stoneham, également propriété de RCR depuis 1998, et du lac Beauport.

Gravitent autour des activités organisées dans les années 1970 des ressources d'hébergement importantes à proximité même du bas des pentes, tant dans Beaupré que dans Saint-

Ferréol-les-Neiges. Dans les années 1980, le Château Mont-Sainte-Anne d'environ 240 chambres est rejoint par d'autres hôtels comme l'hôtel Val-des-Neiges de 110 chambres ou le Domaine Val-des-Neiges (65 à 110 chambres). Aux chalets Mont-Sainte-Anne (30 en 1980) s'ajoutent de nombreux autres condominiums et chalets offrant des appartements en location à court ou moyen terme. Au total, ce sont 800 à 900 espaces d'hébergement qui peuvent accueillir les touristes et les passionnés de sports d'hiver, auxquels s'ajoutent les importantes ressources hôtelières de Sainte-Anne-de-Beaupré et même de la ville de Québec, facilement accessibles.

Pour soutenir cette infrastructure touristique, il fallait accroître les activités disponibles. D'abord, les sports d'hiver se diversifient et attirent de nouveaux adeptes, avec la planche à neige, le canyonisme sur glace, le traîneau à chiens, le parapente, la raquette et le patinage, mais incluent aussi des pistes pour les experts et les plus téméraires. Un musée du ski attend même les skieurs au bas des pentes. Également, il fallait étendre en toutes saisons la fréquentation des installations et des établissements d'hébergement des environs. Un terrain de golf (Le Grand Vallon), différents sentiers de vélo de montagne, un terrain de camping, des sentiers de randonnée pédestre, la télécabine panoramique au sommet de la montagne, le village canin, le parapente et le canyonisme d'été fournissent des options estivales aux touristes. Le site des chutes Jean-Larose accueille également les visiteurs qui peuvent profiter d'un sentier d'interprétation et du sentier Mestachibo le long de rivière Sainte-Anne jusqu'à Saint-Ferréol-les-Neiges. Dans plusieurs de ces disciplines, la tenue de compétitions internationales contribue à faire connaître les installations au grand public et à mousser la fréquentation.

Si le complexe du mont Sainte-Anne domine nettement les ressources récréotouristiques de la région, il n'est pas seul. Le site des Sept Chutes, mis en valeur par Hydro-Québec, permet de visiter une centrale hydroélectrique, fermée en 1984 et remise en service en 1999, et un village historique, et de profiter de sentiers pédestres. Le canyon de Sainte-Anne offre aux visiteurs

une chute et un canyon avec des ponts et des sentiers d'explo-
ration, alors que la réserve nationale de faune du cap Tourmente
s'appuie sur les ressources ornithologiques du lieu, tout particulièrement les oies blanches présentes pendant leurs migrations
annuelles, pour animer un centre d'interprétation et des sentiers
d'observation. À l'autre extrémité de la Côte-de-Beaupré, le
parc de la Chute-Montmorency exploite les environs de la chute
avec un manoir gastronomique et une salle de réception, un
téléphérique, un pont suspendu et des sentiers de marche le long
de la rivière. La véloroute Marie-Hélène-Prémont vient reconnaître une circulation cycliste déjà bien présente sur la route
360 et se branche sur le corridor du Littoral dans Québec
(Beauport), au pied de la chute Montmorency, pour conduire
les usagers jusqu'au cap Tourmente et au mont Sainte-Anne.
Toute la région se prête à la circulation des vélos de toute performance, y compris le tour de l'île d'Orléans où les cyclistes
partagent la chaussée pavée avec les nombreux touristes en
automobile.

Canyon de la rivière Sainte-Anne en 2003
(Photo Marc Vallières)

Une industrie régionale en état de choc

La vocation industrielle traditionnelle de la Côte-de-Beaupré se poursuit depuis les années 1980, non sans difficultés. Le principal employeur industriel de la région, la papetière Abitibi-Consolidated (Abitibi-Bowater depuis 2007 après sa fusion avec Bowater) de Beaupré, domine toujours nettement avec ses 400 à 450 employés. Toutefois, la crise qui frappe, à partir de 2007, l'industrie forestière québécoise affecte très durement Abitibi-Bowater et provoque des interruptions de production et de multiples fermetures de ses usines, dont celle de Beaupré en octobre 2009. C'est un choc pour les activités industrielles de la région, longtemps fondées sur les activités forestières. Abitibi-Bowater poursuit les activités de l'entreprise de préparation et de séchage de bois de construction de Château-Richer, l'ancienne scierie Cauchon acquise par les Produits forestiers Donohue, puis par Abitibi Consolidated et employant quelque 270 travailleurs, en 2000.

Les efforts de diversification industrielle des années 1970 avaient permis de lancer une production de portes, fenêtres et autres produits en métal ou en polychlorure de vinyle (PVC) pour l'industrie de la construction, chez Caron & Guay de Beaupré, Solaris Québec et Gamma industries de L'Ange-Gardien et Carol Pichette & fils (Industries Métal CPF) de Château-Richer. Ce créneau industriel fournit quelque 420 emplois, en 2004, comparables à ceux de la papetière de Beaupré. D'autres entreprises de faible taille maintiennent des activités de transformation industrielle de produits agricoles : Agronoël de Saint-Pierre et R. Thomassin et Fils de Sainte-Brigitte-de-Laval dans la transformation de pommes de terre et de légumes, la Ferme Carole et Richard Blouin de Saint-Jean dans les produits de l'érable ou les Ruchers Promiel de Château-Richer.

Une région de culture et de patrimoine

Il ne suffit pas de posséder un riche patrimoine architectural, bien protégé par des programmes de classement ou d'arrondissements historiques du ministère de la Culture, il faut aussi assurer sa mise en valeur. La quelque vingtaine de bâtiments classés et les 620 bâtiments patrimoniaux, dits « maisons de l'inventaire », situés sur l'île d'Orléans se retrouvent dans le schéma d'aménagement de la MRC de L'Île-d'Orléans et les plus marquants sont susceptibles d'une mise en valeur, si les projets et les budgets peuvent être au rendez-vous. Il en est de même sur la Côte-de-Beaupré où les bâtiments patrimoniaux s'échelonnent le long de l'avenue Royale (« route de la Nouvelle-France ») qui serpente près du coteau, en parallèle au fleuve. Les participations du ministère de la Culture du Québec, du ministère du Patrimoine canadien et de la MRC constituent des ingrédients essentiels à la réalisation des projets patrimoniaux.

Déjà bien pourvue en bâtiments restaurés, tout particulièrement les églises, l'île d'Orléans parvient depuis les années 1980 à ajouter des éléments de qualité à ses ressources patrimoniales accessibles au grand public. Il a d'abord été nécessaire de reconstruire, en 1991, l'église de Saint-François détruite par un incendie, en 1988. Le manoir Mauvide-Genest de Saint-Jean avait survécu grâce aux efforts du juge Camille Pouliot et de sa famille et avait été classé, en 1971, comme bien culturel du Québec, puis reconnu, en 1993, par la Commission des lieux et monuments historiques du Canada. À la fin des années 1990, il requerrait une autre opération de sauvetage, de sorte qu'une société sans but lucratif, la Société de développement de la seigneurie Mauvide-Genest, en fait l'acquisition et parvient à mobiliser les ressources nécessaires pour la réaliser de 1999 à 2001. Depuis son ouverture, le manoir est devenu un véritable musée dédié à l'interprétation de l'histoire du régime seigneurial d'avant la Conquête.

Plus à l'ouest, le site de l'ancien chantier maritime de Saint-Laurent fait l'objet d'une mise en valeur, en 1990, pour accueillir la Chalouperie Godbout et sa collection d'outils, classées « monuments historiques » par le ministère de la Culture, et en faire la base du parc maritime de Saint-Laurent, incluant un centre d'interprétation portant sur la construction navale et les activités maritimes sur l'île. Enfin, il faut signaler la Forge à Pique-Assaut de Saint-Laurent, spécialisée en ferronnerie d'art architecturale et membre du réseau Économusée du

Québec depuis 1996. De plus, la Fondation théâtre Félix-Leclerc, créée en 1983, est réanimée par la famille Leclerc, sous le nom de Fondation Félix-Leclerc, dans les années 1990, pour aménager l'Espace Félix-Leclerc, ouvert en 2001 et réactualisé en 2009. Il inclut une boîte à chanson de 130 places, rappelant celles des années 1960, et une exposition permanente dans le fenil d'un bâtiment ayant la forme d'une grange.

Chalouperie Godbout au parc maritime de Saint-Laurent en 2010
(Photo Marc Vallières)

Espace Félix-Leclerc
(Photo Normand Perron)

Sur la Côte-de-Beaupré, en plus des églises, du moulin du ·Petit-Pré et de la Grande-Ferme de Saint-Joachim (1979), le principal développement à portée patrimoniale reste l'installation du Centre d'interprétation de la Côte-de-Beaupré, créé en 1984 par la MRC et logé auparavant au moulin du Petit-Pré, dans l'ancien couvent de Château-Richer depuis 2002. En plus d'interpréter l'histoire de la Côte-de-Beaupré, le centre dispose d'espaces beaucoup plus vastes et présente toutes les facettes de la réalité de la région, par des expositions, des activités d'animation et une galerie d'art. Quant au moulin du Petit-Pré, il est retransformé en moulin capable de produire, avec sa grande roue à godets et ses mécanismes de mouture des céréales en farine, sa boulangerie et son bistro-café. De plus, le moulin est associé au vignoble du moulin du Petit-Pré, situé un peu plus haut, établi en 1997 et en activité sur une base commerciale à partir de 2001. Deux économusées s'ajoutent : le Musée de l'Abeille (1994) à Château-Richer avec un centre d'interprétation sur le miel et sa production et l'Atelier Paré (1993) de Sainte-Anne-de-Beaupré consacré à la sculpture sur bois, avec un atelier, une exposition et un jardin de sculptures légendaires. Toutes ces ressources à portée patrimoniale et culturelle consolident encore les fondements de l'industrie touristique régionale.

Moulin du Petit-Pré en 2010
(Photo Marc Vallières)

Au tournant du XXIe siècle : une société urbanisée ?

La transition des années 1960 et 1970 a transformé en profondeur les institutions et la société de la région. Les tendances apparues à cette époque se poursuivent à la fin du XXe siècle et au début du XXIe siècle. D'abord, les institutions paroissiales commencent à subir les effets de la baisse de la pratique religieuse et des effectifs pastoraux : cette réalité se manifeste progressivement dans le cumul des curés par plusieurs paroisses, un prélude à des fusions. Sur l'île d'Orléans, les paroisses de Saint-Pierre et Sainte-Pétronille partagent déjà le même curé dans les années 1970, alors qu'au début des années 1990 des paires de paroisses font de même, tant Sainte-Famille et Saint-François que Saint-Laurent et Saint-Jean. À la fin des années 1990, deux curés s'occupent chacun de trois paroisses, ce qui débouche sur une fusion de Sainte-Famille, Saint-Pierre et Sainte-Pétronille dans la Sainte-Famille d'Orléans (1998) et des paroisses de Saint-Laurent, Saint-Jean et Saint-François dans Sainte-Trinité d'Orléans (1999). La situation de partage des curés se produit également sur la Côte-de-Beaupré dans les années 1990 et 2000 selon des combinaisons variables : L'Ange-Gardien et Château-Richer s'y prêtent fréquemment de même que Beaupré, Saint-Joachim, Saint-Ferréol-les-Neiges et Saint-Tite-des-Caps également, toutes rassemblées dans les années 2000. Seule la paroisse Sainte-Marguerite-Marie de Boischatel fusionne avec Villeneuve, Courville et Montmorency pour former la paroisse Bienheureuse-Marie-Catherine-de-Saint-Augustin en 2001. Les paroisses qui partagent un curé ou qui fusionnent conservent leur église, leur fabrique et l'accès aux services religieux sur place.

Par ailleurs, la chute de la natalité fait son œuvre dans le monde rural de la fin du XXe siècle et se manifeste surtout sur l'île d'Orléans où trois municipalités (Saint-Jean, Saint-François et Sainte-Pétronille) n'ont plus d'écoles primaires au début du XXIe siècle. Si les écoles locales se maintiennent ailleurs, c'est beaucoup grâce aux nouvelles familles de banlieusards qui s'établissent sur la Côte-de-Beaupré principalement. L'administration des commissions scolaires se regroupe encore plus, dans les années 1990, et à l'échelle de la grande région de Québec : les commissions scolaires de la Côte-de-Beaupré et des Chutes-Montmorency fusionnent en 1992 sous le nom de la dernière, puis en 1998, à l'occasion de la création des commissions scolaires linguistiques, un vaste regroupement les intègre à celles de Beauport, de Charlesbourg et des Îlets pour former la Commission scolaire des Premières-Seigneuries.

Depuis les années 1980, l'extension de la région urbaine de Québec se poursuit vers les municipalités à sa périphérie, tant sur la rive sud que vers la MRC de Portneuf à l'ouest ou la MRC de La Jacques-Cartier au nord ou encore les MRC de la Côte-de-Beaupré et de L'Île-d'Orléans à l'est. Le modèle de la banlieue résidentielle incluant tous les services typiquement urbains (aqueduc, égout, ordures, recyclage, câblodistribution et téléphone) et ses services commerciaux de proximité devient dominant dans certaines parties de la région. Dans l'aménagement adopté par les MRC, les périmètres d'urbanisation circonscrivent les territoires affectés à l'occupation résidentielle et commerciale, tenant compte de la Loi sur la protection du territoire agricole.

Sur l'île d'Orléans, dans les années 1980, la situation de l'urbanisation dépend de deux phénomènes. D'une part, le temps nécessaire (environ 8 minutes) pour atteindre le centre-ville de Québec à partir du pont de l'île rend plus facile aux résidents de l'île de faire la navette quotidiennement entre un travail à Québec et leur résidence sur l'île. Toutefois, étant donné la lenteur de la circulation sur la route du tour de l'île, ce sont surtout les municipalités de Saint-Pierre et de Sainte-Pétronille, et à un moindre degré celles de Sainte-Famille et de Saint-Laurent, qui se prêtent à des développements résidentiels de cette nature. D'autre part, sur la façade sud de l'île, la villégiature occupe une place déterminante dans le paysage résidentiel, comme nous l'avons vu plus haut : 94 % des résidences secondaires s'y trouvent et représentent la majorité des résidences à Saint-Jean et une forte proportion à Saint-François et à Saint-Laurent, au-delà de la moyenne de 30 %, alors qu'elle est plus faible à Sainte-Pétronille et négligeable à Saint-Pierre et à Sainte-Famille.

Les terrains vacants ne sont pas nombreux et limitent fortement les possibilités de construction résidentielle. En 1983, tenant compte des périmètres d'urbanisation et des zonages agricoles et municipaux, les localités de l'île ne disposent que de 169 terrains utilisables à la construction résidentielle, ce qui laisse peu de possibilités d'obtenir des permis de construction à cette fin. De 1994 à 1998, à peine une vingtaine de permis sont émis annuellement pour toute l'île. En 1998, un nouvel inventaire des terrains disponibles en dénombre 426, mais très inégalement répartis sur l'île : 51 terrains ou 12 % du total se retrouvent à Sainte-Pétronille (20 terrains), à Saint-Pierre (17) et à Sainte-Famille (14), alors que 375 ou 88 % du total sont situés à Saint-François (150), à Saint-Jean (120) et à Saint-Laurent (105). Dans ces deux derniers cas, ces terrains s'intercalent parmi les propriétés consacrées à la villégiature le long du chemin Royal, entre la bordure du plateau et le fleuve. Comme la construction de nouvelles rues et le morcellement des terrains sont très difficiles à obtenir sur l'île, il y a peu de possibilités d'expansion à Saint-Pierre, Sainte-Pétronille et Sainte-Famille, de sorte que, dans les années 2000, les nouveaux résidents permanents ne peuvent s'installer qu'entre Saint-Laurent et Saint-Jean.

Sur la Côte-de-Beaupré, les contraintes sont présentes, mais moins lourdes que sur l'île d'Orléans. Les périmètres d'urbanisation définis dans les années 1980 laissent une bonne marge de manœuvre aux municipalités et permettent à Boischatel, à L'Ange-Gardien, à Château-Richer et à Sainte-Anne-de-Beaupré de faire du développement résidentiel entre l'avenue Royale (route 360) et le chemin de fer, le long du boulevard Sainte-Anne. Boischatel connaît également des activités de construction résidentielle particulièrement importantes, vers le nord le long de la rive est de la rivière Montmorency. La pratique de zones résidentielles sur des rues perpendiculaires à l'avenue Royale continue de se répandre, soit vers le sud jusqu'au chemin de fer, soit quelquefois fois vers le

nord. L'autre secteur le plus actif se situe à Saint-Ferréol-les-Neiges et dans Beaupré, dans les environs du mont Sainte-Anne, là où les périmètres d'urbanisation sont en conflit avec les propriétés zonées agricoles.

Au début du XXIe siècle, la Côte-de-Beaupré et l'île d'Orléans sont entrées de plain-pied dans la société contemporaine et fortement urbanisée de la communauté métropolitaine de Québec. Elles en possèdent tous les attributs, que ce soit les services les plus modernes, un environnement aménagé et écologique selon les pratiques courantes, un milieu de vie intermédiaire entre les valeurs rurales renouvelées et la vie de banlieue en expansion.

Développements résidentiels à Boischatel en haut du site
de l'ancienne Briqueterie Citadelle en 2010
(Photo Marc Vallières)

La configuration physique de la Côte-de-Beaupré et de l'île d'Orléans détermine dès le départ leur vocation économique. Une grand île aux terres fertiles, située dans le rétrécissement du fleuve Saint-Laurent à l'approche de Québec, et une côte, coincée entre la rive nord du fleuve et les montagnes des Laurentides, sur une étroite bande de terres propices à l'agriculture prédisposaient ce territoire à des activités agricoles productives. Depuis les premiers établissements amérindiens jusqu'à la nouvelle agriculture du XXIe siècle, les terres de la région assurent la subsistance et la prospérité d'une forte majorité des résidents, au gré des transformations des techniques et des productions. Dès le Régime français, la région répond à la demande en produits alimentaires de la ville de Québec et les immigrants s'y établissent en premier pour profiter de la qualité des terres et bénéficier des revenus du marché urbain. Rapidement, en quelques décennies, les terres sont toutes occupées. Les fils d'agriculteurs n'en trouvent plus pour s'établir et doivent en chercher dans d'autres régions où elles sont encore nombreuses. Il en découle une population à faible croissance ou parfois même en décroissance, qui, tenant compte du surplus des naissances sur les décès, essaime partout à travers le Québec et l'ensemble de l'Amérique du Nord.

La rareté de bonnes terres agricoles n'empêche pas une agriculture sur des terres marginales à Sainte-Brigitte-de-Laval, Saint-Ferréol et Sainte-Tite-des-Caps au XIXe siècle, au moment où l'arrière-pays s'ouvre également à l'exploitation forestière, d'abord pour le sciage dans de nombreuses scieries dont celle de Montmorency, puis au siècle suivant pour les pâtes et papiers, que ce soit à Québec à l'Anglo Canadian Pulp and Paper ou à Beaupré à l'usine de la Ste. Anne Paper (Abitibi Paper). Une certaine diversification industrielle sur la Côte-de-Beaupré peut s'appuyer sur des ressources minérales (carrières) ou hydrauliques (moulins et centrale hydroélectrique), alors que, sur l'île d'Orléans, c'est la vocation maritime insulaire qui incite des entrepreneurs à y construire des chaloupes et des goélettes.

La diversification économique vient plutôt des ressources culturelles et naturelles de la région. Dès le XIXᵉ siècle, le site de Sainte-Anne-de-Beaupré attire des forts contingents de pèlerins par le fleuve, le chemin de fer et plus tard en automobile par la route. La conservation remarquable des bâtiments anciens de la région, tant les églises que les habitations et leur environnement rural peu perturbé par la modernité, attire des visiteurs de plus en plus nombreux, que ce soit des villégiateurs ou des touristes, surtout avec l'ouverture du pont de l'île, en 1935, qui permet d'y accéder facilement en automobile. Les montagnes, les chutes, les rivières et les grands espaces naturels de la région suscitent des interventions publiques pour les aménager et en faire des lieux de fréquentation des résidents et des touristes, pour des activités sportives et récréotouristiques au mont Sainte-Anne et dans ses environs ou des activités d'interprétation et de randonnée pédestre au cap Tourmente. Même l'agriculture se transforme en préservant ses valeurs traditionnelles et en se spécialisant dans des productions recherchées et destinées aux clientèles férues d'alimentation naturelle et de gastronomie. Toutes ces initiatives viennent stimuler une industrie touristique en voie de devenir l'épine dorsale de l'économie de la région, avec des retombées indéniables sur son infrastructure d'hébergement et de restauration, sans toutefois l'alourdir au point de menacer les qualités visuelles qui attirent les visiteurs, tout particulièrement sur l'île d'Orléans, exceptionnellement préservée des méfaits de services touristiques clinquants. Cela tient notamment à la présence de musées et d'attraits impressionnants à Québec, qui offre des services d'hébergement et de restauration considérables.

Finalement, une infrastructure de circulation automobile de plus en plus efficace à l'échelle de la communauté métropolitaine de Québec vient faciliter l'extension des banlieues de Québec et de leurs développements résidentiels jusque sur la

Côte-de-Beaupré et l'île d'Orléans. Il devient possible à leurs résidents de faire la navette quotidiennement pour aller travailler dans la ville de Québec, se déplacer vers ses centres commerciaux et participer à sa vie culturelle et sociale. L'île d'Orléans réussit partiellement à limiter cet afflux de banlieusards, malgré la conversion de ses habitations de villégiature en résidences permanentes. Le défi de préserver l'héritage patrimonial et naturel de la Côte-de-Beaupré et de l'île d'Orléans de l'invasion des développements résidentiels reste à l'avant-scène, mais les autorités de la région et du gouvernement du Québec ont en main les instruments pour la contrôler et pour consolider ainsi et même accroître la mise en valeur de cet héritage inestimable.

Parc des Ancêtres de l'île d'Orléans, monument en l'honneur des familles-souches de l'île d'Orléans, à Sainte-Famille, en 2010 (Photo Marc Vallières)

L'*Histoire de Québec et de sa région* réalisée sous la direction de Marc Vallières constitue le point de départ de toute recherche historique sur la Côte-de-Beaupré et l'île d'Orléans. Ses auteurs (surtout les chapitres de Marc Vallières, Andrée Héroux, Réginald Auger et Fernand Harvey) y ont approfondi, sur plusieurs périodes depuis l'arrivée des Amérindiens, toutes les thématiques de l'histoire de la Côte-de-Beaupré et de l'île d'Orléans. Ils fournissent, dans les notes, des références à des publications et à des sources qui permettront aux usagers de cette synthèse de poursuivre les recherches sur les questions abordées. Cet ouvrage de 2 526 pages en trois tomes a servi d'inspiration à cette *Histoire de la Côte-de-Beaupré et l'île d'Orléans* en bref, sans engager d'autres responsabilités que celle de son auteur.

D'autres publications apportent des informations utiles, dont plusieurs qui renferment une iconographie de très belle qualité :

Michel Lessard avec la collaboration de Pierre Lahoud, *L'île d'Orléans. Aux sources du peuple québécois et de l'Amérique française*, Les éditions de l'Homme, 1998, 415 p.

Madeleine Landry et Robert Derome, *L'Art sacré en Amérique française. Le trésor de la Côte-de-Beaupré*, Septentrion et Nouveau Monde, 2005. 207 p.

Martin Fournier, *Jean Mauvide. De chirurgien à seigneur de l'île d'Orléans au XVIIIᵉ siècle*, Septentrion, 2004, 193 p.

Serge Lambert et Eugen Kedl, *La Côte-de-Beaupré et l'île d'Orléans*, Les Éditions GID, 1999, 272 p.

Isabelle Lussier et Caroline Roy, *Une histoire d'appartenance : la Côte-de-Beaupré et l'île d'Orléans*, Les Éditions GID, 2002, 239 p.

Signalons des travaux d'érudition de Raymond Gariépy sur les terres de Château-Richer (1993), de L'Ange-Gardien (2004), de Sainte-Anne-de-Beaupré (1988), de Saint-Joachim (1997) et de l'île d'Orléans (1978) et sur les seigneuries de Beaupré et de l'Île-d'Orléans dans leurs débuts (1974), de même que des monographies de paroisse, dont celle de Lise Buteau, *Château-Richer. Terre de nos ancêtres en Nouvelle-France*, La Plume d'oie, 2005, 509 p.

11 000 à 8 000 A.A. Passage dans la région des premiers chasseurs amérindiens du paléo-indien.

8 000 à 3 000 A.A. Chasse, pêche et cueillette dans la région, à l'époque archaïque, par des Amérindiens en séjour prolongé et en plus grand nombre.

3 000 à 500 A.A. Période sylvicole, début et expansion des activités de culture de la terre et de poterie.

1535-1536 Jacques Cartier tente le premier hivernement sur le site de Québec, près de Stadacona.

1541-1543 Jacques Cartier en 1541-1542 et Roberval en 1542-1543 tentent un premier établissement permanent à Québec, près de Cap-Rouge : un échec.

1608 Champlain établit au pied du cap aux Diamants un premier comptoir de traite permanent (« l'Habitation ») et hiverne avec 27 personnes : fondation de Québec ; mandaté par la Société Du Gua de Monts et des marchands de Rouen.

1624 Concession du fief du Cap-Tourmente à Guillaume de Caen.

1626-1628 Champlain construit et exploite une ferme d'élevage au cap Tourmente.

1628 Destruction de la ferme du cap Tourmente par les Kirke.

1636 Concession des seigneuries de la Côte-de-Beaupré et de l'Île-d'Orléans à la Compagnie de Beaupré.

1650 Mission fortifiée sur l'île d'Orléans (Beaulieu) de réfugiés de la Huronie.

1656-1657 Départ des réfugiés Hurons de l'île en vertu d'entente avec les Français et les Iroquois.

1662-1668 Acquisition par Mgr de Laval des seigneuries de la Côte-de-Beaupré et de l'Île-d'Orléans.

1663 Fondation du Séminaire de Québec.

1663 Arrivée des premières filles du roi.

1675 Mgr de Laval échange la seigneurie de l'Île-d'Orléans à François Berthelot contre l'île Jésus et 25 000 livres.

1678 Érection canonique de la paroisse de Château-Richer.

1680 Mgr de Laval cède la seigneurie de la Côte-de-Beaupré au Séminaire de Québec.

1684   Érection canonique des paroisses de Sainte-Anne-de-Beaupré, de L'Ange-Gardien et de Sainte-Famille.

1685   Couvent à Sainte-Famille (Congrégation Notre-Dame).

1689   Couvent à Château-Richer (Congrégation Notre-Dame).

1712   Acquisition de la seigneurie de l'Île-d'Orléans par le marchand Guillaume Maillard.

1714   Érection canonique des paroisses de Saint-Jean, Saint-Laurent, Saint-Pierre et Saint-François de l'île d'Orléans.

1721   Érection canonique de la paroisse de Saint-Joachim.

1721   Procès-verbal du procureur général Collet sur l'organisation des paroisses.

1759   Siège de Québec, bataille des plaines d'Abraham et occupation de la ville par les Anglais : importantes destructions d'habitations et d'églises sur la Côte-de-Beaupré et l'île d'Orléans.

1763   Traité de Paris transférant la Nouvelle-France à l'Angleterre.

1775-1776   Attaque et siège de Québec par des troupes américaines de Richard Montgomery et Benedict Arnold : échec.

1824-1825   Construction des grands voiliers *Columbus* et *Baron Renfrew* dans un chantier à Sainte-Pétronille.

1825   Pont à péage sur la rivière Sainte-Anne à Saint-Joachim.

1840-1845, 1847-1855   Conseil de comté de Montmorency, formé de représentants des paroisses.

1844-1867   Joseph-Édouard Cauchon est député de Montmorency.

1846   Création des commissions scolaires paroissiales.

1855   Premier traversier permanent entre l'île d'Orléans et Québec, le *Petit-Coq*.

1855   Création des municipalités de paroisse de la région, maintien des conseils de comté de Montmorency n° 1 (Côte-de-Beaupré) et n° 2 (île d'Orléans).

1856   Pont suspendu au-dessus de la chute Montmorency : s'effondre peu après.

1863   Érection de la paroisse de Sainte-Brigitte-de-Laval, reprise en 1873.

1871   Érection de la paroisse de Saint-Ferréol.

1872   Érection municipale de Saint-Tite-des-Caps.

1874   Érection municipale du village de Beaulieu (Sainte-Pétronille).

1875   Érection municipale de Saint-Ferréol et Sainte-Brigitte-de-Laval.

1876   Érection de la paroisse de Saint-Tite-des-Caps.

1876   Construction de la basilique de Sainte-Anne-de-Beaupré (1872-1876).

1878   Les Rédemptoristes prennent en charge la paroisse et le pèlerinage de Sainte-Anne-de-Beaupré.

1889   Ouverture du chemin de fer Québec, Montmorency et Charlevoix reliant Québec à Sainte-Anne-de-Beaupré.

1895   Le Cyclorama de Jérusalem devient permanent.

1906   Division de la municipalité de paroisse de Sainte-Anne-de-Beaupré, érection de la municipalité de village de Sainte-Anne-de-Beaupré et fusion de la première avec la seconde.

Ca 1913   Ouverture de la Brique Citadelle à L'Ange-Gardien.

1916   Ouverture de la centrale des Sept Chutes à Saint-Ferréol.

1919   Achèvement du chemin de fer Québec, Montmorency et Charlevoix : ouvert jusqu'à La Malbaie.

1920   Séparation de la paroisse de Sainte-Anne-de-Beaupré de la municipalité de village.

1920   Érection de la municipalité de ville de Boischatel.

1922   Destruction de la basilique de Sainte-Anne-de-Beaupré.

1925   Érection de la paroisse de Sainte-Marguerite-Marie de Boischatel.

1925   Fondation du « Quebec Golf Club » ou « Royal Québec ».

1927   Début de la production à l'usine de la Ste. Anne Paper de Beaupré.

1927   Érection de la paroisse Notre-Dame-du-Saint-Rosaire de Beaupré.

1928   Prise de contrôle de la Ste. Anne Paper par l'Abitibi Power and Paper.

1928   Érection de la municipalité de Beaupré.

1930   Fondation de l'hôpital et sanatorium de Sainte-Anne-de-Beaupré.

1931-1937 Fermeture de l'usine de Beaupré pendant la Grande Dépression.

1935	Ouverture du pont de l'île d'Orléans.
1935	Adoption de la Loi concernant l'île d'Orléans (25-26 Geo. V, chap. 8, s. 2 mai 1935).
1944-1945	Aménagement d'une première piste sur le mont Sainte-Anne.
1946	Établissement de l'unité sanitaire du comté de Montmorency à Sainte-Anne-de-Beaupré.
1953	Boulevard Sainte-Anne terminé de Montmorency à Sainte-Anne-de-Beaupré.
1955	Nouvelle église de Beaupré, érigée en remplacement de la chapelle temporaire incendiée en 1953.
1963	Installation par Hydro-Québec d'une ligne de 735 kV traversant l'île d'Orléans.
1964	Loi provinciale autorisant la Ville de Beaupré à aménager un parc et un centre de ski sur le mont Sainte-Anne.
1965	Ouverture du centre de ski du mont Sainte-Anne.
1968	Aménagement du parc Montmorency à Boischatel.
1969	Création du dépotoir de Saint-Tite-des-Caps.
1970	Décret gouvernemental accordant à l'île d'Orléans le statut d'arrondissement historique.
1970	Transfert du parc du Mont-Sainte-Anne au gouvernement provincial.
1978	Ouverture de la réserve nationale de faune du cap Tourmente.
1979	Loi sur la protection du territoire agricole.
1980	Implantation des municipalités régionales de comté (MRC) de la Côte-de-Beaupré et de L'Île-d'Orléans.
1983	Début de l'élaboration du schéma d'aménagement de la Côte-de-Beaupré.
1984	Création du centre d'interprétation de la Côte-de-Beaupré.
1985	Prise en charge du parc du Mont-Sainte-Anne par la Société des établissement de plein air du Québec (Sépaq).
1985	Début de l'élaboration du schéma d'aménagement de l'île d'Orléans.
1989	Adoption du schéma d'aménagement de l'île d'Orléans.

1991	Reconstruction de l'église de Saint-François, détruite par un incendie en 1988.
1994	Privatisation du parc du Mont-Sainte-Anne.
1996	Début de la révision du schéma d'aménagement de l'île d'orléans.
1998	Usine de traitement des eaux usées de Boischatel, L'Ange-Gardien et Château-Richer.
1998	Érection de la paroisse de La Sainte-Famille-d'Orléans.
1998	Création de la Commission scolaire des Premières-Seigneuries.
1999	Érection de la paroisse Sainte-Trinité-d'Orléans.
2001	Fin de la révision du schéma d'aménagement de l'île d'Orléans.
2001	Ouverture de l'Espace Félix-Leclerc à Saint-Pierre.
2001	Fin de la restauration et ouverture du manoir Mauvide-Genest de Saint-Jean.
2001	Fusion de Sainte-Marguerite-Marie de Boischatel avec des paroisses de Beauport dans la paroisse Bienheureuse-Marie-Catherine-de-Saint-Augustin.
2002	Adoption du schéma d'aménagement de la Côte-de-Beaupré.
2002	Installation du centre d'interprétation de la Côte-de-Beaupré dans le couvent rénové de Château-Richer.
2009	Fermeture de l'usine de Beaupré de l'Abitibi Bowater.

Marquis imprimeur inc.

Québec, Canada

2011